ぼんくら外交官の
北朝鮮日記

2年間の
「楽園」滞在見聞録

杉山 長
SUGIYAMA TAKESHI

幻冬舎MC

建設サイト全景

コンテナハウス団地

日本代表用宿舎（コンテナハウス、家具、家電付き）

パイプラインの取水源となる南大川《ナムデチョン》（後方に北清の村が見える）

空港送迎バスは日本製（途中の休憩地点『海月亭《ヘウォルジョン》』にて）

俗厚の金日成《キムイルソン》主席訪問記念碑

龍田里《リョンジョルリ》の指導村アパート群

御《オ》印峰《インボン》からの展望

開放された海岸

2000.6.15
新しく完成した厚生館2でカラオケを楽しむ筆者

2000.4.9
玉流館琴湖支店で北側関係者と談笑するKEDO小野次長とその通訳をする筆者

住居地域隣の商業ビル内にある地元の民芸品店にて

2000.6.10
新食堂竣工

2000.7.30
自家発電施設始動式

香山《ヒャンサン》ホテル最上階レストランでくつろぐ小野次長と筆者（中央は北朝鮮の儀礼員）

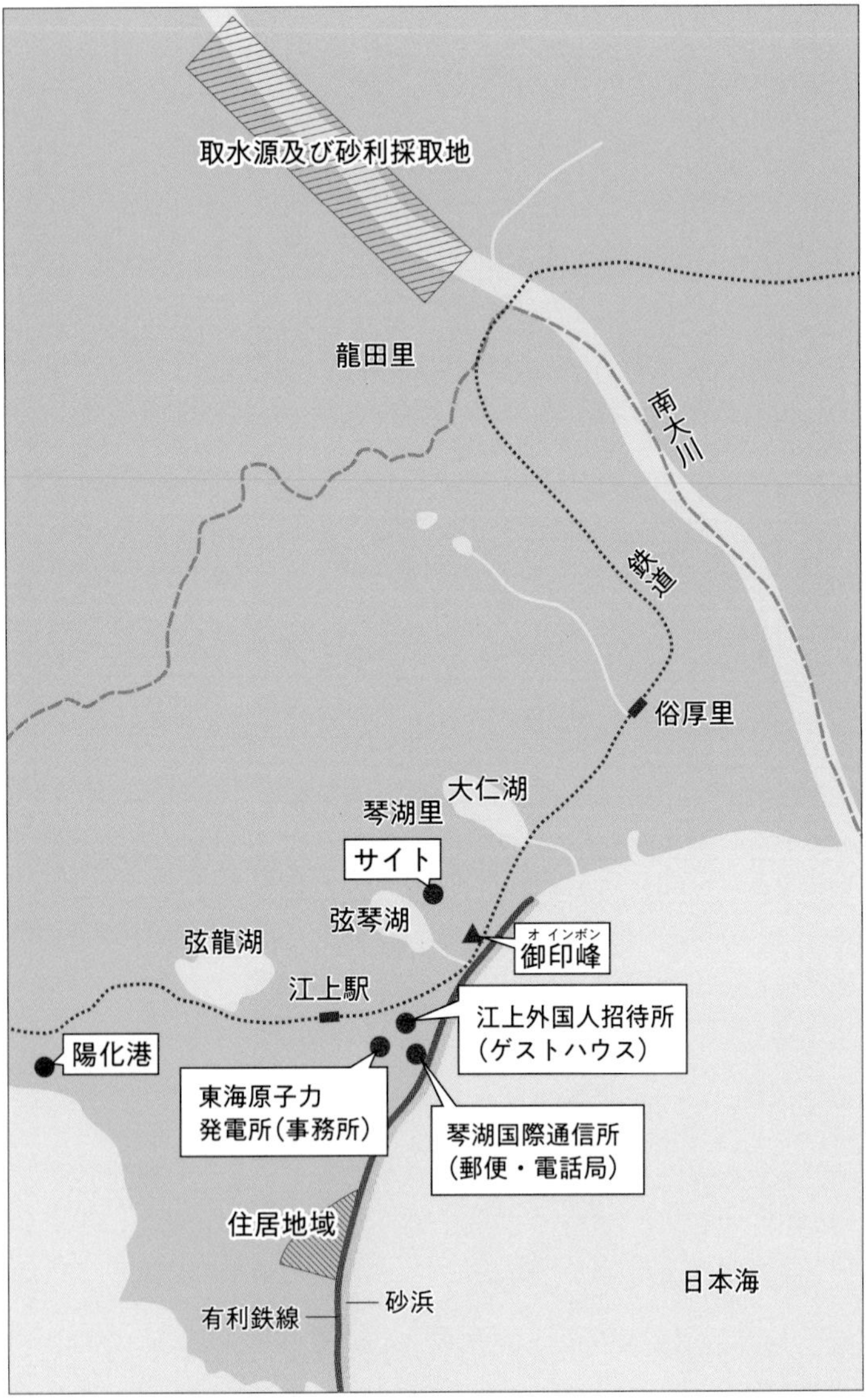
取水源及び砂利採取地
龍田里
南大川
鉄道
俗厚里
大仁湖
琴湖里
サイト
弦琴湖
弦龍湖
御印峰《オインボン》
江上駅
江上外国人招待所
（ゲストハウス）
陽化港
東海原子力
発電所（事務所）
琴湖国際通信所
（郵便・電話局）
住居地域
日本海
砂浜
有利鉄線

ぼんくら外交官の北朝鮮日記

――2年間の「楽園」滞在見聞録――

はじめに

私は一九九八年八月十一日から二〇〇〇年八月三十日まで朝鮮民主主義人民共和国（北朝鮮）の軽水炉型原子力発電所建設現場で「朝鮮半島エネルギー開発機構（ＫＥＤＯ）」の職員として働いていたことがある。

この本は、そこ（咸鏡《ハムギョン》南道《ナムド》琴湖《クムホ》地区）に駐在していた二年間に体験したことを時系列で日記風にまとめたものである。なお、私が運良く現地の日本代表に採用されたのは、当時外務省韓国語専門職の中に私の他には誰も志願者がいなかったためである。また、それまでの二十四年間の外交官経歴（うち半分が韓国勤務）や実用英語検定二級の語学力と政治学修士という学歴が選考条件にも合致していたと思われる。

当初妻は無事に（生きて）帰れないかもしれないと心配し志願を辞退するように訴えたが、私のゆるぎない決意を知るとそのうち諦めた。また、「仕事をしない人は受け入れない」という北朝鮮政府の方針により家族同伴は認められなかった。そこで、妻はこれを好機と捉え、中学二年生の娘とニュージーランドで暮らすことを選んだ。よって、住宅ローンで購入した日本の自宅は賃貸に出し、私が北の僻地で勤務する間、家族は海外で過ごすことになった。

当時（一九九〇年代初頭）は、北朝鮮による核兵器開発が発覚し、これをめぐって国際原子力機関と米国が北朝鮮と対立状態にあった。様々な交渉が行われる中で、核開発阻止と電力不足解消という米国と北朝鮮双方の利益が一致し、一九九四年十月に「米朝枠組み合意」が成立した。そこで、この合意に基づいて日米韓が協力して国際機関を設立することになり、一九九五年三月九日にＫＥＤＯが発足した。その後同年十二月に「供給取極」が結ばれ、出力千メガワット級の軽水炉二基を北朝鮮に提供することが決まった。それを受けて、一九九七年七月二十八日にＫＥＤＯが発電所建設用地内に琴湖《クムホ》事務所を開設したところ、以降一年間にわたり日本は外務省からほぼ一カ月交代で延べ十名の職員を出張派遣した。その後、米韓両国から日本代表も現地に常駐させるべきだとの強い要望（圧力）があって、ついに私が派遣されることとなったわけである。

なお、ここに書かれている感想や見解は、あくまでも著者個人のものである。

（注）個人名は米国、韓国の各代表及び各組織の長は通称名を使用したが、必ずしも本名ではない。北朝鮮政府関係者については、筆者が独断で漢字に置き換えたものであり、これもまた本名ではない。それ以外の人物については、個人情報保護の観点から原則としてアルファベットで役職と併記した。なお、紙面の制限により多くの見聞や体験の中から特に印象に残った事項のみを取り上げている。したがって、著者が直接関与したエピソードや会議、視察のみに限定した。より詳しく知りたい方は、『ＫＥＤＯ［韓国代表］が目撃した！　北朝鮮　断末魔の虫瞰図』（李賢主著、ビジネス社刊２００４）を併せて参照されたい。

目次

第四章　一九九九年　春　77

第五章　一九九九年　夏　91

第八章　二〇〇〇年　春

第九章　二〇〇〇年　夏

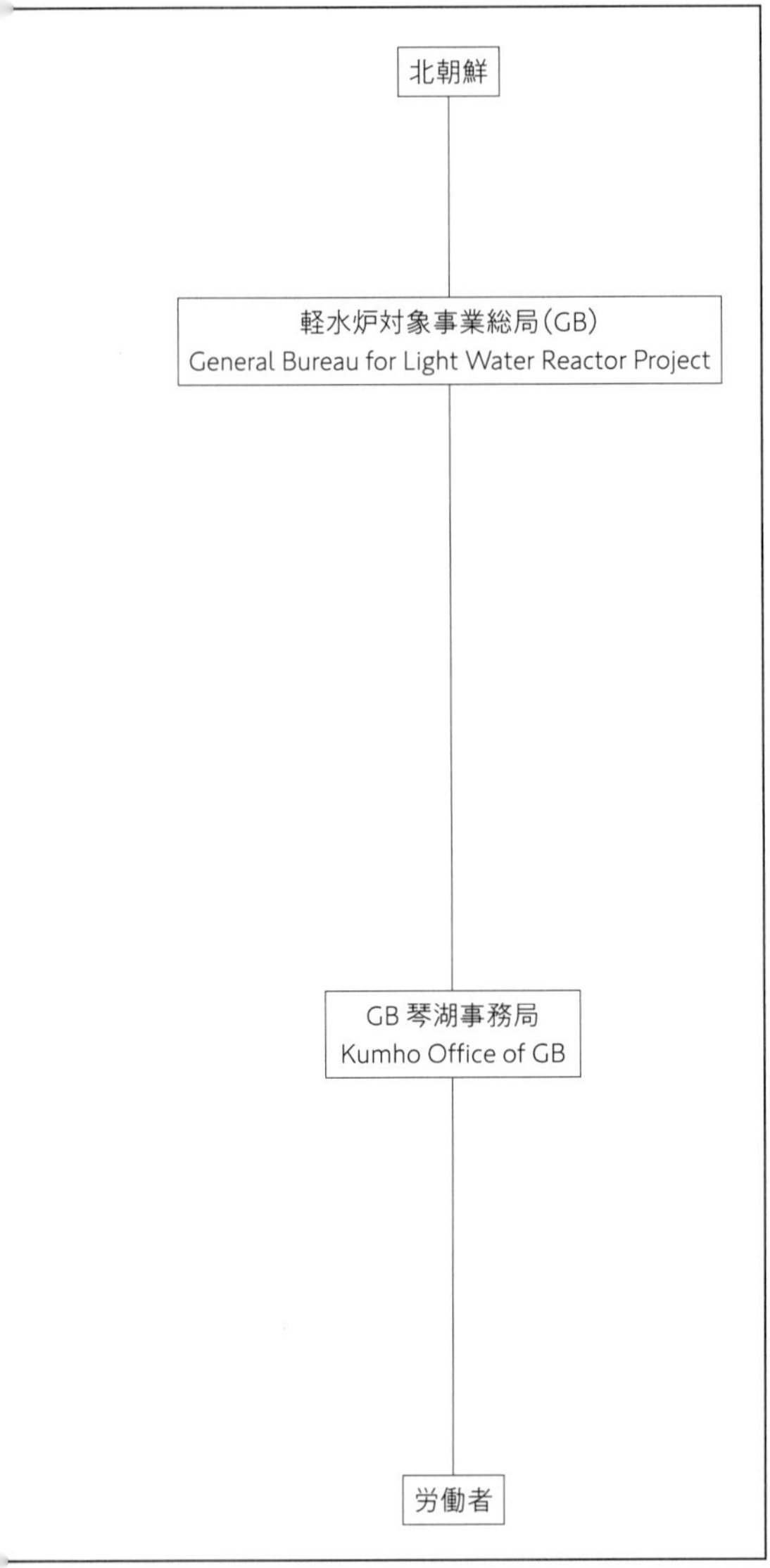
北朝鮮
軽水炉対象事業総局(GB)
General Bureau for Light Water Reactor Project
GB 琴湖事務局
Kumho Office of GB
労働者

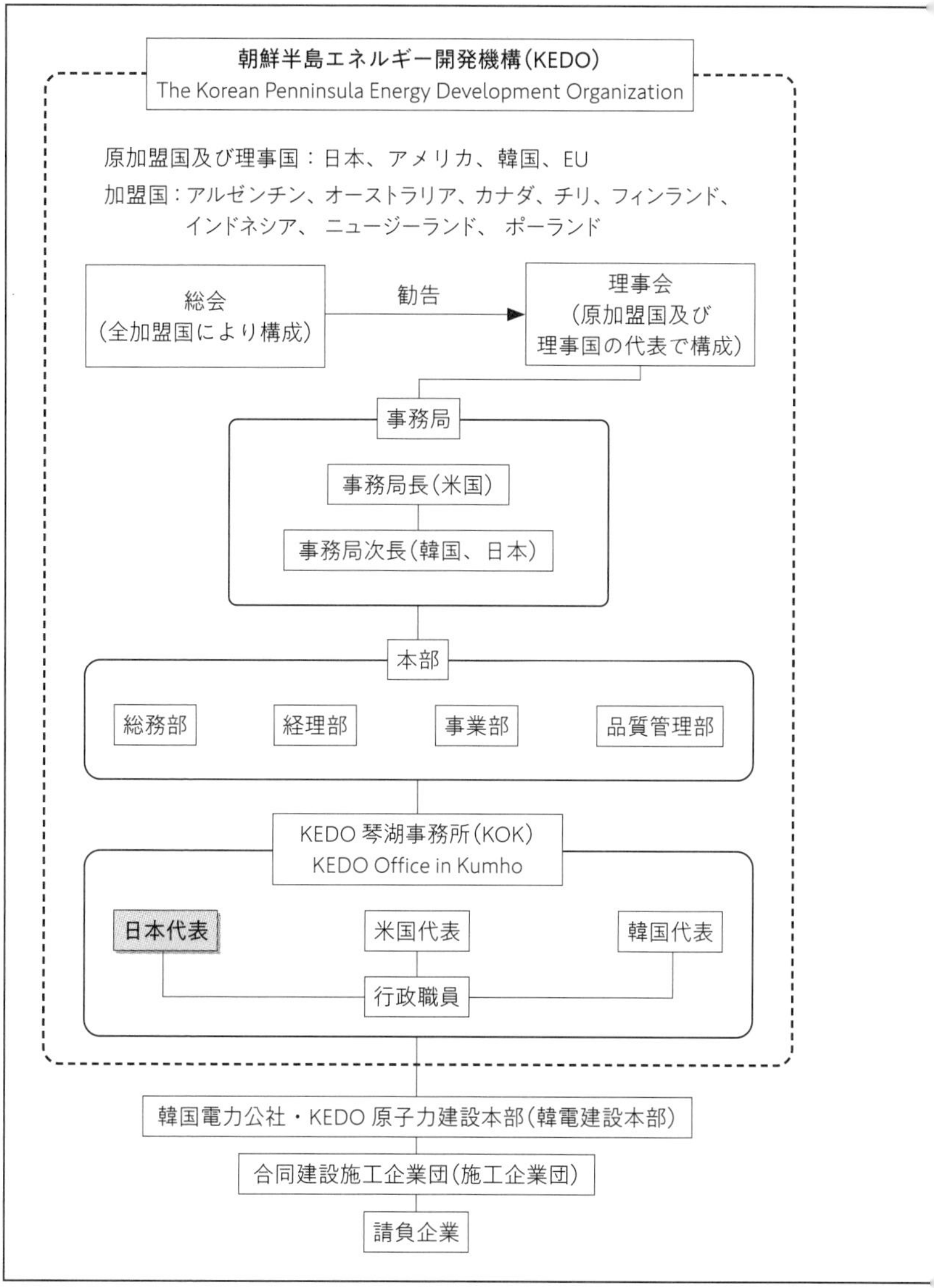
朝鮮半島エネルギー開発機構（KEDO）
The Korean Penninsula Energy Development Organization
原加盟国及び理事国：日本、アメリカ、韓国、EU
加盟国：アルゼンチン、オーストラリア、カナダ、チリ、フィンランド、インドネシア、 ニュージーランド、 ポーランド
総会
（全加盟国により構成）
勧告
理事会
（原加盟国及び理事国の代表で構成）
事務局
事務局長（米国）
事務局次長（韓国、日本）
本部
総務部
経理部
事業部
品質管理部
KEDO 琴湖事務所（KOK）
KEDO Office in Kumho
日本代表
米国代表
韓国代表
行政職員
韓国電力公社・KEDO 原子力建設本部（韓電建設本部）
合同建設施工企業団（施工企業団）
請負企業

第一章　一九九八年　夏

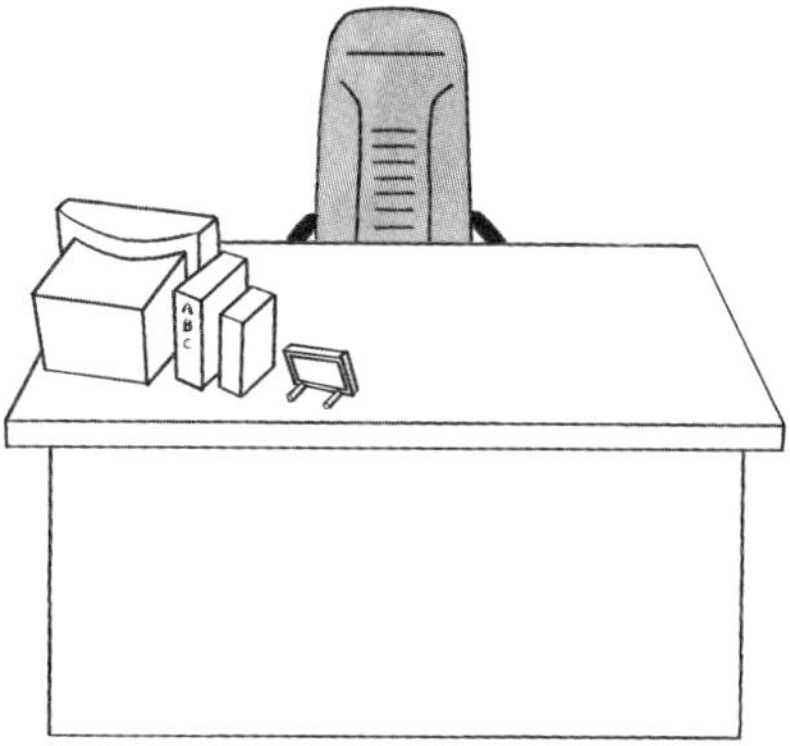

八月九日（日）　晴

辞令を受け取る

本日付で人事異動通知書が交付された。

「大臣官房に配置換する

朝鮮半島エネルギー開発機構に派遣する

派遣の期間は平成十年八月九日から平成十二年八月八日までとする

派遣の期間中、俸給、扶養手当、調整手当、住居手当及び期末手当のそれぞれ百分の百を支給する」

日本を代表して北朝鮮に赴任するという職務の重要性や現地での生活の不安に身が引き締まる。

成田からソウルへ、日記再開

東京（成田）発ソウルに向かう。結婚以来妻に見られるのが怖くてやめていた日記を二十年ぶりに今日（旅立ちの日）からつけることに決めた。任地に着いたらこの他に毎日「業務日誌」も書いて私の体験や感想等を記録していきたい。

八月十一日（火）　晴

北朝鮮入国とその後の長い旅路

昨日ソウルから北京に到着。いよいよ今日は未知の国、北朝鮮に入る。

平壌《ピョンヤン》行き高麗《コリョ》航空の機種はロシア製の「イリューシン62」、フライト番号はJS152。座席には座布団が敷いてあった。ビデオや音楽鑑賞用イヤホンは配られない。また、客室乗務員はとても親切だったが、機内食は正直美味しくはなかった。

平壌の順安《スナン》空港からはチャーター機（プロペラ機）に乗り換え四十分で宣徳《ソンドク》空港に着いた。韓国電力公社の職員や現場の労働者たちと一緒だ。そこからは貸し切りマイクロバス（日本製、二十人乗り）で咸興《ハムフン》市街（新興山《シンフンサン》ホテルで夕食）を経由して一路琴湖《クムホ》へ。もちろん北朝鮮側から派遣された案内員（という「監視役」）が同乗・案内してくれる。未舗装で街路灯のない道路を走ること五時間（一カ所で休憩）、夜中の十時前にKEDO原子力発電所建設用地（以下サイトと表記）内の住居地域に到着。遠くから煌々《こうこう》と輝く「楽園」が見えた時には、何だかほっとし、救われた気持ちになった。

職場でびっくり！　韓国語でお出迎え

やっと私の職場となる朝鮮半島エネルギー開発機構琴湖《クムホ》事務所（以下KOKと表記*）に着いた。

KOKからは徐《ソ》韓国代表（前安全企画部職員）と金《キム》行政職員（前在韓国オーストラリア大使館現地職

員）が住居地域正門まで出迎えに来てくれた。その時に初対面の挨拶を交わし、私に割り当てられた宿舎（コンテナハウス）で現地事情の説明を受けた。ジョーン米国代表（前在韓国米国大使館経済担当参事官）はしばらくして私の宿舎にやってきて、韓国語で話しかけてきたのでびっくりしたが、すぐに英語で「力を合わせて北朝鮮と闘うんだ」[**]と言われたのにはちょっと戸惑った。が、彼はすぐに笑顔で半分冗談だよと付け加えた。第一印象はいずれも悪くない。もう一人の韓国代表は休暇中でサイトを離れていたため後日会うことになる。

テニスコートにゴルフ練習場もある

サイト内にはＫＥＤＯより以下の施設が整備され無料で提供されていた。

・宿舎（六十五万平方メートルの敷地に六十四のコンテナを改造した住居を設置）
・食堂（住居、事務所地域に各一カ所、最大二百人収容可、韓国式料理）
・売店（韓国製日常用品、加工食品、飲料等を販売）
・医務室（医師を含む六名の医療要員を配属）
・洗濯場（当初全自動洗濯機十台設置）
・図書ビデオ貸与室（韓国語の図書五百冊程度、米国、韓国の映画ビデオ多数）
・休憩室（カラオケ装置付き）
・テニスコート（夜間照明付き五面）

・ゴルフ練習場（夜間照明付き、百二十メートル、十打席）
・室内卓球場（卓球台二台）
・室内体育館（運動器具付きコンテナハウス）

サウナにバーも完備⁉

この他、北朝鮮側でも江上《カンサン》外国人宿所（以下ゲストハウスと表記）内に理髪室、ビリヤード、サウナ、マッサージ室、バー（ホステス二名、日本の缶ビールあり）を新たに開設した。

また、通信の便宜を図るため琴湖《クムホ》通信所（住居地域の北約二・六キロメートル地点の道路沿い）もでき、平壌《ピョンヤン》の一流レストラン（冷麺で有名）である「玉流館《オンニュウグァン》」も住居地域に隣接して支店を開業した。

以上のサービスは、いずれも有料（米ドルで現金払い）となる。

＊　KOK = KEDO Office in Kumho
＊＊“We must cooperate to fight against North Korea.”

八月十二日（水）　晴

着任挨拶

ＫＯＫに初めての「常駐日本代表」として着任したので、まずは関係者に挨拶回りをすることとした。

まず、ＫＥＤＯから建設工事を受注した韓国政府系企業の韓国電力公社ＫＥＤＯ原子力建設本部（以下「韓電建設本部」と表記）を表敬訪問し、一時帰国中の本部長を除くＳ副本部長以下全部長と歓談した。どうやら余暇にはテニスをするらしいので、「私も仲間に入れてほしい」とお願いした。

次に、下請け建設会社の組織である合同建設施工企業団事務所（以下「施工企業団」と表記）にも挨拶に行き、帰国休暇中の所長を代行しているＵ管理部長と歓談した。

続いて、住居地域及び建設サイト全体を視察した。

その後、琴湖《クムホ》地区出入国事業処に在留許可を申請し、社会安全部琴湖《クムホ》支所に日本の運転免許証から北朝鮮の運転免許証への切り替え申請手続きを済ませ、我々が利用できる北朝鮮側の関連施設を視察した。

日本の戦後がよみがえる

住居地域と原子力発電所建設用地（建設サイト）を結ぶ道（約五・三キロ）は、通勤の行き帰りに北朝鮮の住民を観察するのに格好の場所だ。

今日は、その道に平行して走っている線路（電化されている）に客車が通過するところに出くわした。車両のみすぼらしさと、乗客が鈴なりになっているのに驚いた。かつて写真で見たことのある日本の戦後の買い出し列車という感じだ。軍服姿が目立った。

八月十三日（木）　雨のち曇

食べ物と疲労の結果

朝からおなかの調子がおかしく若干頭痛がしていたが、なんとか午後三時ごろまで事務所にて勤務。しかし、下痢と頭痛が収まらず結局医務室で薬をもらって飲み、休むことにした。K医師の話によると、こちらの非衛生的な食べ物と旅行の疲れがたまったせいとのこと。ここに来るまでバスに揺られること五時間の道のりと、途中のホテルで食べた美味しい北朝鮮料理（感興冷麺《ハムフンネンミョン》）が体にこたえたようだ（注：その後二年間は体調を崩すこともなかったから、この時いかに緊張していたかがわかる）。

八月十四日（金）　曇

不思議に思う国家予算の使い方

南大川《ナムデチョン》（建設サイトから十六キロ離れた砂利採取場）へ行く途中に俗厚《ソクフ》という村があり（鉄道駅もある）、そこには金日成《キムイルソン》主席が一九五七年に訪問したことを記念する碑が線路のそばに建てられていた。それが真新しいので不思議に思っていたところ、韓電建設本部の土木課長が最近（一、二カ月前）に建てられたのだという。多くの国民が飢えに苦しんでいるというのに、こんなものに金をかけるなんて北朝鮮の予算の使い方はいったいどうなっているのだろう。また、村々や山々に金父子を讃える標語が大きく掲げられているが、その数といい内容（金日成《キムイルソン》主席を讃える歯の浮くような標語が多い）といい全くあきれるほかない。

八月十五日（土）　小雨のち曇り

北の警備兵の言い分

今日は「解放節」（日本による統治が終わった日）で休日であったが、八時四十五分ごろ徐《ソ》代表から海岸で我が方の釣り人と北の警備兵の間で海岸への立ち入りをめぐってもめているらしいとの連絡が入り、急いで出動（運転は徐代表）。現場に着いてみると、韓電建設本部職員二名が海釣りを楽しんでおり、五十メートルぐらい離れたところで北の警備兵が銃を肩から下げて見守っているという状況。大きな争いがなかったことにひと安心。しばらくして、別の若い警備兵がやってきて、ここは「朝鮮の領土」だから許可がないと娯楽目的では使えない、すぐに出ていけと抗議。徐代表は、ここはＫＥＤＯが原子力発電所建設のため貴国から引き渡されている地域であり、どのような目的で使うかは我々が決めること。また、我々の許可なく勝手にこの地域に入ってほしくない旨反論。上司の命令であり、それはできないと北の警備兵。対峙したまま十一時三十分ごろまで釣り人につきあい、成果なく（魚が釣れないまま）引き上げる。引き上げの少し前に肩に二つの星をつけた偉い（？）人（社会安全部副局長）がやってきて、「みなさんの安全を守るため、立ち入り制限をし警備兵を配置している」との説明。ＫＥＤＯが自由に使える地域であるということは百も承知の様子。

八月十八日（火）　晴

早朝の安眠妨害

着任以来、北朝鮮のテレビ放送は宿舎のテレビでは見ることができていない。南と北で放送方式が違うためではあるが、その変換装置をつけているのに入らないのはどうやら電波が弱いためらしい。北側では、ＫＥＤＯの敷地内でも視聴できるように電波中継所を建設中で、二カ月後にそれが完成すればよく映るようになるらしい。北側では我々のために（？）サービスをしているのだと言っているのだが、本音は違うところ（主体思想《チュチェ》の宣伝？）にあるのかも。当面はラジオの有線放送で間に合っているといえなくもない。それにしても、毎朝五時に拡声器を通じて流れてくる北のラジオ放送は安眠妨害だ。

無事に届きますように

朝、通信所（郵便局）に立ち寄り日本宛ての絵葉書を投函。切手はＵＳ五十セント。いつ届くかはさておき、途中で検閲はないのかが心配になった。なぜなら文面に「最貧国にある別天地に到着した」とか、「自由と家庭がない点を除いては何不自由なく生活している」などと書いてあるからだ。

八月二十日（木）　晴

トンネル発見

十時三十分ごろ徐《ソ》代表より「工事現場に行こう」との誘いあり。韓電建設本部工事部長と三人で問題の現場に到着。そこは原子炉建設用地として掘削《くっさく》している山の東側の中腹で、直径四、五メートルの大きなトンネルが姿を現していた。奥がどれだけ深いのかはわからない。工事部長の話によると、北側はこのようなトンネルが全部で三つあると言っていた由。それらはいずれも本トンネルにつながっているもので、食料等の保管を目的としていたのではないかと推測される。今後の工事の際に事故につながりかねないことから、さっそく北側にトンネルの位置を示す図面の提供を申し入れることを検討することとした。その後の調査の結果、トンネルの長さは二十メートルほどしかなく、その奥にもトンネルはなかったとのこと。北朝鮮が作ったものではないようだ（第二次世界大戦中に掘られた防空壕ではないか？）。

八月二十一日（金）　晴

運転免許証を取得

本日午前、申請してから八日後に北の運転免許証を取得。これで当地での移動の自由が確保される（通勤が中心だが）。ジョーン米国代表と共同で韓国製のムッソ（Ｍｕｓｓｏ）を公用車として使うことになった。

八月二十五日（火）　晴

豪雨の影響

昨日から水道が濁っている。雨で井戸に泥や汚水が入ってしまったのかもしれないということで、今日から当分住居地域の水は飲まないように、調理にも使わないようにとＫＯＫから韓電建設本部に指示。当面の間は建設サイトの井戸水と北のゲストハウスの井戸水をもらうことになった。

もう一人の韓国代表

四十日間の休暇をソウルで過ごしていた李《イ》代表（前韓国外務部経済協力第一課長）がKOKに戻ってきた。正門で出迎えしばし歓談。彼によると休暇中にゴルフ七回を含む友人との交際で相当散財したとか、北の静かな生活に慣れてしまって、騒々しいソウルでの生活に心身の適応が難しかったらしい。これで韓国代表が二人とも揃った。

技術あり？　六ドルの散髪

明日は北朝鮮政府軽水炉対象事業総局琴湖事務局（以下GBと表記）との顔合わせ晩餐会が予定されているということもあり、午後にゲストハウスに散髪に出かけた。カット、シャンプー、ひげ剃りとやって六ドルは安い。理髪技術もしっかりしている。なお、洗髪施設や椅子は日本製だった。

八月二十六日（水）　晴、夕方小雨

陽化港《ヤンファ》を視察

十時三十分、韓国電力公社来訪団一行と陽化港《ヤンファ》を視察。先日の大雨で至るところが決壊しており、村人らが出て道の整備に追われていた。陽化《ヤンファ》地区では家の垣根が完全に崩れているところが多く、崖崩れも見かけた。かなりの被害があったのは事実だ。港も全体が海水をかぶったらしい。「天馬山《チョンマ》」と表示された船が停泊していたが、岸壁はかなり傷んでいた。案内してくれた施工企業団所長の話では、荷役設備としては五トンクレーンが一台あるのみで、しかも故障しており、技術者もいないので自分らが五〇トンクレーンを持ち込んで作業をやっているとのこと。昔は漁港として使われていたということの港は、何もかもが古くＫＥＤＯ側が設置した事務所用コンテナがとてもすばらしい施設に見えてしまう。

未だ水田は冠水

一部報道では、七月下旬から八月中旬にかけての集中豪雨で北朝鮮国内に大きな被害があったと伝えられているが、琴湖《クムホ》、陽化《ヤンファ》地区を車から見た限り相当ひどかった様子（八月二十三日の豪雨によるものと思われる）が窺えた。道は至るところで崩れており、未だ水田が冠水したままのところもあったし、土砂が流れて苗が埋まってしまっているところもあった。

八月二十七日（木）　晴

和やかな晩餐会

昨夕は小雨がちらついたりやんだりのあいにくの天気になったが、ＧＢとの晩餐会は和やかで明るいムードに包まれていた。ゲストハウスでの晩餐会は、会場の丸テーブルを一列に並び替えるのに時間がかかり、十分遅れの午後六時四十分から始まった。

ＧＢ側からは金局長以下副局長等八人が参加。我が方からはＫＯＫ全員と韓国電力公社副社長、韓電建設本部長、企画団から部長、課長の九人。徐《ソ》代表の話では、ＧＢは韓電建設本部を相手にしないとの立場であるので、今回の非公式晩餐会の名目はＫＯＫに常駐の日本代表が着任したので紹介するということで誘ったとのこと。いずれにせよホスト役は米国代表が務めることになるらしい。

李《イ》代表はそのことについて「パンドゥシ イソヤデョ（絶対出席してね）」とジョーン代表に強調して訴えていた。また、同代表はジョーン代表の席順も金局長が座った位置の正面に座らせたり、乾杯の発声をさせるなど気を配っていた。私はホスト側ということを考え、控えめに奥側の右の末席から二番目に座ることにした。ＫＯＫ代表の服装は全員ノーネクタイと事前に打ち合わせていたので、私は襟付きのポロシャツとしたが、他は（ＧＢ側も）皆背広にネクタイで来ていた。礼儀違反かなとの気もしたが、特に問題になるような感じではなかった。左隣に座ったＧＢの安光植《アングァンシク》領事担当官（五十六歳）はおとなしい人で、酒もあまり飲まず質問もあまりしなかった。ただ、家族の訪問はいつから行われるのかとか、来年は海水浴をしたらいいとか結構我々のことを心配している様子であった。人参酒で一番酔っぱらったのは、保安担当の金澤龍《キムテギョン》GB副局長であった。普段はあんまりお酒を飲まないとのことだが、楽しそうにはしゃいでいたので何か良いことがあったのかもしれない。韓電副社長やGB側から杯も回り始め雰囲気が盛り上がった。話はつきない感じではあったが、午後九時少し前にお開きとなった。

酒の注ぎ足しは大丈夫

韓国では杯が空になる前に酒を注ぎ足すのは失礼になるのだが、こちらではそうでもないらしい。それを意味する「チョムジャン（添杯）」という「韓国語」を知らなかった。また、同じく韓国のように目上の人の前で顔をそらして杯を空けるということもしない。こちらでは酒は日本式に飲むらしい。

●ぼんくら外交官のつぶやき●

こちらに来る前に韓国の二大都市（ソウル、釜山）で約十二年間勤務し、数多くの酒席に出てきたが、ほとんどの韓国人は目上の人の前では相手の正面で杯を空けたりしない（顔を横に向けて杯を飲み干す）し、コップに酒が少しでも残っている場合には注ぎ足すことはなかった。ところが、北朝鮮ではそのようなしぐさを見たことはなかった。何だか日本で飲んでいるような安堵感があった。たばこを吸うときも同じような南北の違いが見られた。社会主義社会は儒教の思想を受け入れないようだ。

八月二十八日（金）　晴

旅客列車は十三両

ＫＯＫの庭（通路）からは、少し遠いけれど列車の通るのがよく見えるし、通過する音もよく聞こえる。一時電力不足で止まっていたとかいう噂もあったが、最近は定期的に動いているようだ。それでも昼間は三、四便程度。昨日の午後、外に出て列車の車両数を数えてみたら十三両だった。客は多かったし、後ろの三両は荷物車だった。

八月二十九日（土）　晴

想像以上に走っている日本車

ＧＢ副局長用の公用車（ナンバープレートは平壌となっている）は、今日はいつも乗っている赤いベンツではなく白の日本製の車（車種は不明、二〇〇〇ＣＣくらい）であった。この他にもいろんなところで、右ハンドルの明らかに日本から持ってきたと思われる車をよく見かける。帰国同胞が持って帰ったものなのだろう。

（注）北朝鮮では車は右側通行（韓国と同じ）。

港の中は記念碑とスローガンでいっぱい

陽化港《ヤンファ》の接岸埠頭には、故金日成《キムイルソン》主席の来訪時に指示を伝える記念碑（港の中で一番立派な建造物）やその教示を守り抜こうというようなスローガンで満ちあふれている。その記念碑の後ろにまた一つ小さな碑ができたようだ。その碑の除幕式が明日午後四時から行われるという。もちろん荷役作業は式の間は中断すべしとの要請が来ている。これに協力せざるを得ない。

第二章　一九九八年　秋

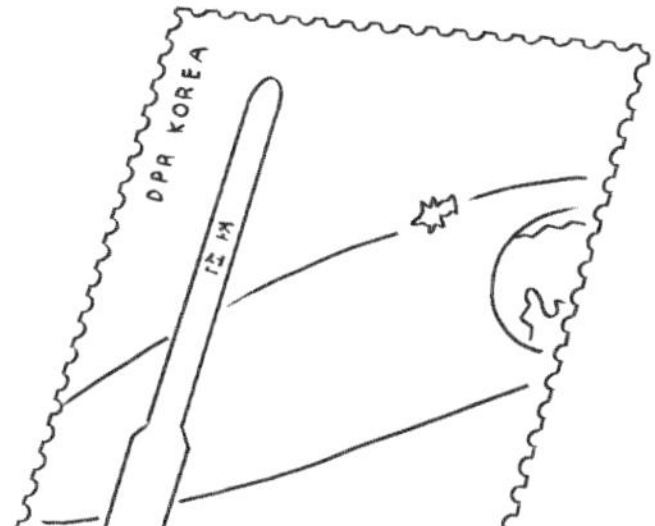

九月一日（火） 雨のち曇りのち晴

北朝鮮の「ミサイル」発射実験

突然の驚きのニュースだった。ＮＨＫ衛星第二テレビの朝七時、ニュースがトップで北朝鮮がミサイルを発射し三陸沖に着弾したということを十七分の特集を組んで放送した。皆が朝食時にこの報道を話題にしていた。

李《イ》代表は、金正日《キムジョンイル》が軍人国家で軍を掌握していない証左との見方をしている。日本は本格的工事に関する資金拠出協定への署名を延期した。韓国、米国はわからない。韓国人労働者の労務管理（手当てを増やす）も兼ねて夜間作業を開始した矢先に悪いニュースだ。

引っ越し荷物、初めての論争

午後二時ごろ、建設サイト前の保税区域内で自分の引っ越し荷物の通関手続きに立ち会うこととなったが、北の税関職員が荷物を開けるというので、これを拒否したところ、議定書どおりの手続き（陽化港《ヤンファ》に戻してエックス線透視装置を通すとのこと）にて通関する結果となった。あまり急ぐ荷物でもないし、ＫＥＤＯ職員として北との特権、免除条件で譲歩するわけにはいかないのでそのようにした。通関現場で李《イ》代表が若干感情的に申し入れたきらいがなきにしもあらずだが。

午後五時過ぎ、今度は陽化港《ヤンファ》で通関の手続きに立ち会う。韓電建設本部や施工企業団の協力を得て荷物（十六箱）を運び、一つひとつエックス線透視装置にかけて検査し、私の一箱を除いては何の問題もなく通過した。問題となったのは武器のようなものが入っているのではないかと、北の税関吏が疑問を抱いた（難癖をつけた？）からである。私は決してそのようなものは入っていないが、エックス線に映っているものが何かはわからないと答えたところ、「箱を開けてほしい」とのことであった。KEDO代表の一人であり議定書でも開梱《かいこん》不要は保障されていることなので、「開ける必要はない」とがんばったが、代表なら政府発行の（KEDO発行ではなく）証明書を見せろとか、議定書にも疑わしい場合には開けることができるとなっているとして頑として聞かない。そこで、ジョーン代表とも相談し、同氏立ち会いの下に仕方なく箱を開け、問題となったものがカメラの三脚であることを発見した。北側との初めての「闘争」であった。今回は本心から箱を開けたくなかったのではなく、抗議することに意義があると考え若干強硬に主張したが、次回からはもっと冷静に、かつ理論的にがんばってみたいと思う。

九月二日（水）　晴

ミサイルなんて知らない

北朝鮮の保険会社の人たちは、ミサイルの発射実験をした事実を知らされていないようだ。また、それによってなぜ本格的工事が遅れることになるのかも理解ができない様子であった。日本では大騒ぎをしているというのに。外務省のN事務官からもこちらの様子を心配して電話があった。
ミサイル発射のニュース直後、妻のいるニュージーランドからは一時的にこちらに電話がつながらなかったらしい。そのことをN事務官から聞き、こちらから電話をして家族を安心させた。韓国人は大して心配している様子はない。みんなで一時的に引き上げるといって北側を驚かそうなどと冗談を言っている。

九月四日（火）　時々小雨

国民が読まない朝鮮中央通信

昨日から朝鮮中央通信を読んでいる。ジョーン代表がホームページ（「今日のニュース」）にアクセスして我々に配ってくれるようになったからだ。英語版と韓国語版を同時に読めるので参考になる。英語版にあって韓国語版にない記事もある。これは国外向けの内容なので、東京やNYでも毎日読まれていると思う。大事なことは、この記事がこちらの一般国民には全く読まれていないということだ。日本にいる朝鮮問題専門家はこのことに気づいていると思うが……。

「ミサイル」発射の記念切手

翌年二月十二日にミサイル発射の記念切手をついに香山《ヒャンサン》ホテルで入手。我々のためにわざわざ平壌から特別に取り寄せてくれたようだ。一枚八十セントで、説明文には「運搬ロケットは一九九八年八月三十一日十二時七分に発射され四分五十三秒で衛星を自らの軌道に正確に進入させた」とある。なかなかきれいな切手だ。

九月九日（水）　晴

九九節、今日は建国記念日

今日は北朝鮮の建国記念日（九九節）。全国で多くの豚が殺され調理され食卓に上るとか。年に何回もないごちそうというわけだ。また、いつも通勤で通っている道に多くの人が江上里《カンサンニ》駅の方に歩いて、あるいはトラックに乗っていそいそと出かけていたが、何か行事があるのだろうか。でも、服装はぱっとしない。女性の服装が地味すぎてかわいそう。もっと色のあるものが着られないのだろうか。但し、皆が健康そうに見えるのは（自家用車がないので）普段歩いているおかげなのかもしれない。

九月十六日（水）　晴

初めてのGBとの会議

　四時間弱にわたるKOKと軽水炉対象事業総局（GB）との協議は、双方がほんの一瞬感情的になった場面はあったものの、全般的に和やかな雰囲気での意見交換の場となった。なお、当方からは主として米国代表が発言し、必要な場面で李《イ》代表が補足説明をする形で進行した。私は初めての北側との会議出席でもあり、慎重を期して発言を控えた。会議の概要は次のとおり。

（一）冒頭発言

（KOK）GBの協力で野菜栽培や地元住民の統制がうまくいっていることに感謝。但し、サイト内の秩序と治安の維持は議定書にあるとおりKEDOが責任を持って行うこととなっていることに留意願いたい。

（GB）昨年十月に合意したとおり、現地で解決できることはNYや平壌に報告せず現地で討論することにしてほしい。議定書等の条文解釈は工事の進捗状況と密接に関係している。サイトはその使用目的に添って使ってほしい。本格的工事の早期に着工を切に希望する。

（二）海岸へのアクセスとその利用

（KOK）我が方労働者の余暇活動に制限があることを理解してほしい。

（GB）工事が一向に進まない現時点では、国防上の問題もあり釣り等工事に直接関係のない目的で海岸を使用することは控えてほしい。しかし、ＫＯＫ側の事情も理解できるので、ゲストハウス前の海岸を開放することとした。住居地域前の海岸は工事開始後十四カ月で開放することになっているが、今後の工事の進捗状況を見て検討したい。

（ＫＯＫ）ＫＥＤＯとしては、そのような条文解釈には同意できない。法的問題は違うレベルで議論することとし、実践的な問題を協議したい。

（三）通関手続き
（ＫＯＫ）海洋調査船団が陽化港《ヤンファ》を出港する時に北側税関職員による必要以上の手荷物検査があったが、禁制品所持の疑いが濃い場合を除いては手荷物を開けないでほしい。関係当局に善処を指示してほしい。

（ＧＢ）関係当局に要請する。但し、八月一日付のＫＥＤＯ書簡は事実関係を間違って理解している。海洋調査団団員一名（朴《パク》某）が我が国を誹謗する十名分の感想文を所持していたので、組織的なものと見てこれを押収したまでだ。ＫＥＤＯの名の下にこのようなことが再発しないよう望む。

（ＫＯＫ）税関職員に議定書等をよく読むように指導してほしい。我が方も禁制品を持ち込まないように関係者に徹底周知したい。但し、感想文は禁制品ではないはずだ。

（四）警備員詰め所（検問所）
（ＫＯＫ）住居地域横のコリドー内に北側の警備員詰め所や遮断装置を設置し検問するのは明確

な議定書違反であり合意できない。
（GB）検問所（チェックポイント）は、双方協議の上設置できることになっており、住居地域前の検問所の設置場所についても昨年九月に原則的に合意したはずだ。検閲は、たとえばナンバープレートが不明瞭な車とか怪しい人物とかがいる場合に限定的に行うものである。
（KOK）他の場所についてはは反対はしないが、住居地域前のみ合意はできない。但し、すでに建設された詰め所の解体や移転までは要求するつもりはない。
（GB）遮断装置設置については再検討したい。
（五）海洋調査時の武器携帯
（KOK）海洋調査船に武装した北側警備員が同乗するのは、KEDOが安全を守るべき船であり、かつ、何の役にも立たない（鮫が襲ってきても守れない）のでやめてほしい。バージ船には乗ってこないではないか。
（GB）海洋調査はあと一回だけだから我慢できないか。我が国の安全保障上の観点から規則で決められているもの。バージ船は入出港のみだから不要。
（六）労務提供契約
（GB）北側労働者の労務提供契約が結ばれないまま一年間工事を実施してきたが、現行制度にはいろいろな問題がある。特に、月給制では賃金が低く抑えられることになる（百十ドルが百四ドルになる）ので日給制を基本としたい。また、ILOの基準に合うように年次有給休暇も改善したい（年間合計で十一カ月働けば休暇の権利が得られるようにしたい）。
（KOK）本件はNYにすでに北側の要求を報告してあるが、現地で交渉するのではなく、次の高級実務者協議（十月）で取り上げるよう指示を受けている。
（七）議定書等の違反事項
（GB）KEDO側に対し、最近以下のような約束違反があったので指摘する。今後かかることのないようにお願いする。
・テレビアンテナの無断搬入（六月）
・書籍の無断搬入（七月）
・韓国バージ船（オリンピック五号）の港内無許可移動（八月二日）
・我が国を批判する文書の作成（八月四日）
・双方で合意したステッカーデザインでないものを貼付した車（八月三十日）

九月二十日（日）　晴

海岸は誰のもの？

朝七時ごろ、韓電建設本部の技術監督課T職員より「李《イ》代表がつかまらない」として私に電話があり、海岸への立ち入りをめぐってもめているとのこと。さっそく李《イ》代表に相談したところ、行く必要はないとのことだったが、先例（八月十五日の項参照）もあり、しかたなく私一人で抗議しに出かけた。

現場に到着するとT課長他三名が副本部長の指示で釣りをあきらめて帰ろうとしていたが、私が抗議に来たというと、「もう一度一緒に交渉してみよう」ということになった。このまま黙って引き返せば引き渡されたサイトがだんだん自由に使えなくなるし、北側が提供しているゲストハウス前の海岸では万が一事故が起こった場合、何の保障も得られないからという考えがあってのこと。

私より北の警備兵に「ここはKEDOの敷地だから、立ち入ることも、そこで何をするのも自由であり、かつ、北の警備兵（銃器を所持）は出ていってほしい」と伝えたところ、「上官に連絡したので彼が来るまで、ともかくここから出てほしい」との一点張りで約一時間半押し問答や駆け引きが続いた。そのうち李《イ》代表が現れ韓電建設本部関係者に対し「朝早くから人騒がせである、ここで争っても何の意味もない」として強く叱責。また、私に対しても「あなたは新参で事情がよくわからないのだから、古参の意見を尊重してほしい、少なくとも日本代表であるなら北のしかるべき立場の人を相手にすればよい」と強く主張した。私自身は前例に則《のっと》って対応したつもりだったが、自分の立場を考えれば一理があると納得、引き上げることにした。このようにKOK内部でもめることは好ましくないので事前に対処方針を決め、それを韓電建設本部や施工企業団に周知しておく必要があったのではないかと思った。

九月二十二日（火）　晴

住居地域内の売店

住居地域内の売店に初めて立ち寄る。ビール（二十四缶）を二十七ドルで、スポーツドリンク（三十缶）を十四ドルで買う。ウォンとの換算レートによって価格が違うようだ。米国代表は高いと不満気味。

九月二十五日（金）　晴

スコップ担いでどこへ行く？

昨日、今日とスコップを担いでどこかに行く人たちを多く見かけた。どこに何しに行くのかわからない。道路の補修をしなければならないような災害はなかったはずだが……。ゲストハウスの前では、かなりの人（主として女性）がトウモロコシの収穫のためか畑に入っていた。スコップはその作業に必要になるのだろうか。

九月二十九日（火）　曇

偉い人のお通り？

本日朝七時三十分から約一時間にわたり、鉄道に近づかないよう社会安全部の職員が大勢で我々の通勤を規制した。韓電建設本部の多くの職員はこれに巻き込まれた。私の出勤時にも何となく厳戒態勢が取られている雰囲気があった。どうやら豪華列車が通り過ぎたらしい。金正日総書記ではなく中央政府の相当な地位にある人物のようだ。なお、ミサイルの運搬ではないらしい。

十月十三日（火）　晴一時雨

測量チームとピクニック

建設サイトと砂利採取場を結ぶ道路の拡張・舗装工事のための測量チームが来訪した。来訪中の測量チームに同行ということで、ＫＯＫ全員のピクニックとなった。建設サイトから南大川《ナムデチョン》河口まで通常のルートからはずれ、俗厚《ソクフ》から海岸方向に田園地帯を抜けて行った。海岸のそばにはかつて青少年の研修施設として使われていたという五階建ての立派なコンクリートの建物があったが、窓にはガラスが入ってなく透明なビニールで塞がれていた。かつては避暑地としてにぎわったのではないかと思わせる雰囲気はあるが、今は廃墟に近い。南大川《ナムデチョン》の河口付近を踏査して近くの芝生の上で弁当を食べる。考えてみれば、北の国民（案内員等三人）と一緒に食事をするのはこれが初めてだ。案内員たちも我々の工事の遅れに不満を吐露していた。

小中学生、学校は半ドン？

帰路、午後一時前に俗厚《ソクフ》の街を通過した時、制服を着た小中学生の小さな集団何組かに出くわした。下校している様子だが、カバンや本は持っていない。平日のこの時間に帰宅するのは学校での授業が午前中のみということか、あるいは農繁期で子供にも稲刈りの手伝いをさせるということか。

十月二十一日（水）　晴

パイプライン（水路）建設

初期工事契約第四期は十月十六日から明年一月十五日までとなっているが、その第二フェーズでは工事用（及び将来の軽水炉運転用）の水を南大川《ナムデチョン》から引き込むための水路（パイプライン）を敷設することとなった。

韓電建設本部では、技術的・時間的な理由から建設サイトではなく南大川《ナムデチョン》側から二・五キロの区間（全長は十六キロ）にまず着工したいとしている。しかし、その計画書によれば、北側と協議して解決しなければならない問題が多く残っている。一番重要な問題が、同区間を建設サイトと同じ性格のものにするための議定書の改訂だ。現在のところ「その他の工事地域」に含まれていないので、我々が自由に出入りし使用できる状況になっていない。さらに、水路といっても土手は工業用道路として供用するため、幅を現在の五メートルから九メートルに拡張しなければならず、約千平方メートルの農地も収用しなければならない。そこで早急にGBとの協議の必要が出てきたわけで、さっそくNYに事情を説明し会議開催要請の口上書を発出する運びとなった。

十月三十日（金）　晴

ここはいったい何の施設？

GBが入っている建物はゲストハウスの裏手にあるが、NY本部のS部員を案内した時に隣の工場みたいな施設が気になったので、女性の警備員にずうずうしく何の施設か聞いてみた。私の何回かの「誘導尋問」に笑顔で答えてくれながら「企業所」だとは教えてくれたが、何を作っているのかまでは聞き出せなかった。（後でこれが「東海原子力発電所」*だということがわかった）。

＊：過去（一九六〇年代）にソ連が北朝鮮で原子力発電所建設に協力していたことがあるが、その当時に使われていた建物等がKEDOのプロジェクトでも再利用されており、その一つが「東海原子力発電所」と呼ばれているらしい。

十一月一日（日）　晴

歌姫

　夕方NYから出張でやってきたS部員の非公式歓送会ということで、金《キム》職員も誘って通信所（郵便局の待合室を区切りスナックを開業）で軽くビールを飲むこととなった。二人の「李《リ》」嬢に迎えられて貸し切りの状態で杯を重ねる。そのうち、こちらのリクエストに応えて北の歌が披露された。『愛の微笑』『心臓（心）に残る人』『アリラン』『半月歌』などホステス役の北の女性が恥ずかしがりながら堂々と歌う姿に感心した。

十一月五日（木）　晴

北の官庁には必ず傘下企業がある

　韓国南北基金の調査団一員として来訪中の韓国輸出入銀行K課長代理によれば、北の官庁は必ず自分の手足となって動く企業を持っており、その企業間での権限争いが熾烈《しれつ》だとか。現在南との経済交流の窓口は「民族経済連合会」一本に絞られているとのこと。GBの傘下企業はもちろん「琴湖《クムホ》貿易会社」で我が方の韓国電力公社の立場に近いらしい。

十一月六日（金）　晴のち小雨

新昌村《シンチャン》

サイトから車で北へ一時間の遠出をした。海洋調査チームの生態調査に同行という名目だ。朝十時少し前に韓電建設本部の本部長、行政部長、工事部長及び施工企業団所長らとともにゲストハウス前を出発、十一時には現場（岩の多い海岸）に着いた。漁村の名前は「新昌《シンチャン》」（著者の当て字）、映画館もある比較的大きな街という印象。途中の北青《プクテヨン》市に比べれば見劣りはしたが。GBからも孫《ソン》副局長らが同行。

車中では主として学位制度が南北両国でどう違うかとの話で盛り上がり、海岸で一緒に昼食の弁当（焼酎付き）を食べるなど、双方とも半分ピクニック気分であった。途中でGBの金澤龍《キムテギョン》副局長も徐《ソ》代表と一緒にひょっこり現れ、本当に仕事をしているのかを偵察に来たものの、我々が提供した即席ラーメンと焼酎で「買収」されてしまった。

修士号はない

北の学位は、学士の上が博士で修士はないとのこと。博士をもらうためには研究所で論文を書かなければならない由。研究員や教師は級によってランク付けされており、給与にも差があるそうだ。博士号は名誉のみで給与とは関係ないとのこと。

卵は一つ二十五セント

　こちらで生産される卵がゲストハウスで一個二十五セントで売られている。質にもよるが、日本の二倍ぐらいの価格ではないか。北の人たちがとてもこの値段で買っているとは思えないが、農民が徐々に物を自由に売れるようになっているような気がする。

十一月七日（土）　晴

「代表」の肩書き

　私の肩書きを「代表」として北側に正式通報したところ、ＮＹの北朝鮮代表部から、代表は米国代表一人であると抗議されたらしい。しかし、現場では特に仕事上の支障はない。もっとも、ＧＢ側は私のことを「杉山先生」と呼んでおり、肩書きで呼ばれたことはない。

●ぼんくら外交官のつぶやき●

　韓国人からは肩書に敬称をつけて呼ばれることが多かった（たとえば、「杉山代表ニム」＝ニムは日本語の様に当たる）が、ここでは北側の人からそのように呼ばれたことはない。それはそれで日本の「さん」と呼ばれたようで何となく親近感を感じてしまう。韓国では肩書がその人の価値を測る一つの指標になっているように思える。

十一月十日（火）　晴

仲間に加われたパイプライン協議

　パイプライン建設に関わる協議は、現場視察を兼ねて行うことになり、午後二時四十分から二時間近くにわたり盛り土の採取場、ルート、資材置き場、堤防への進入路、鉄道との交差等を寒空の中現場で詳細な協議が行われた。当方からはKOK全員と韓電建設本部長、工事部長、担当課長、施工企業団所長、担当課長等が参加して、先方の孫《ソン》副局長以下東海原子力発電所の技師らと主として技術的なやりとりをした結果、盛り土採取場（先方の指定場所は粘土分が多いため不適）と資材置き場（当方案は水田をつぶす）の位置については合意ができなかったが、他の技術的諸点についてはほぼ解決した。

　なお、「その他の工事区域」指定については、KOKが案を提示し、これをGBが早急に検討することとなった。本件の緊急性（十一月十五日に工事開始予定）に鑑み、ジョーン代表が勤務時間終了後NYの報告案をまとめて、私の宿舎に夜九時ごろ協議に来た。NYが韓電との交渉や工事の進捗にしか目が向かず、現地の事情を全く勘案していない（事前に協議がない）ことに不満を表す記述も追加的にやんわりと入れてあるが、気づいてもらえただろうか。このように協議のために米国代表が宿舎まで勤務時間外に足を運んでくれたことは初めてだ。三カ月にわたる日本代表の継続勤務が効果を表しつつあり、本当の仲間として受け入れてもらえたようでとてもうれしかった。

十一月十八日（木）　晴

兌換券《だかんけん》

先日、通信所でJ部員と一緒にツケで飲んだコーヒー代を払ったところ、六十セントの釣りが出た。セントをくれるかと思ったら、代わりに外貨兌換券《だかんけん》（一ウォン札一枚と十銭札二枚、換算率：一ドル＝二ウォン）をくれた。珍しいので記念に紙に貼り付けて保管することとした。

十一月二十七日（金）　雨

徐《ソ》代表の休暇延期

当初本日出発を予定していた徐《ソ》韓国代表の休暇は、GB側の交通便（平壌までの乗用車）提供拒否で延期せざるを得なくなった。やはり米国代表以外は認めないのが北のやり方なのだろうか。ジョーン代表はこのような差別（KEDOに国籍は関係ないはず）と簡単に約束を反故《ほご》にしてしまう政策に相当な憤りを覚えていた。いったん合意してもそれが守られるかどうかわからない政府、国際的な外交慣例が全く通じない国との評価。一番問題なのは、ここが戦争状態になった場合、我々を外交官に準じて無事に国外に脱出させてくれるかという点だ。ジョーン代表の見方は、悲観的だ。私が「米国海兵隊が救出に来てくれるだろう」と言うと、「それまでに我々が生きていられるかが問題だ」とのこと。私ももっと危機意識を持たなければならないと感じた。

第三章　一九九八〜九九年　冬

十二月一日（火）　大雪

かなり安い魚屋さん開店

いよいよ師走に入った。五日前に玉流館《オンニュウグアン》横の「商業ビル」一階に魚屋さんが開店したというので、李《イ》代表と行ってみた。冷凍の鮮魚（ヒラメ、さば、たこ等）及び乾物（するめ等）が陳列してあった。価格はドル表示されており、するめが一枚五十セントというのはかなり安いと思う。李《イ》代表は、からし明太子一キログラムを五ドルで買っていた。

十二月三日（水）　晴

やった！　飛行機に乗れる

久しぶりに晴れ間が見え雪も解け始め、チャーター機もやっと飛んできた。明日はこの飛行機に乗ってどうやら休暇に行けるようだ。一九九八年の日誌は本日付けを「最終号」としたい。

当地から外国へ出る場合は、出入国管理事業処で在留登録（二週間以上の滞在者に義務づけられている）を削除してもらう必要があるが、私も本日その手続きを済ました。

（十二月五日から翌年一月十二日まで休暇のため三十九日間サイトを離れる）

一月十三日（水）　晴

宣徳《ソンドク》空港での口論

四十日間の休暇を終えてサイトへ帰任する道はやはり遠かった。

今回は施工企業団の休暇チームと一緒に帰ることとなった。宣徳《ソンドク》空港では新しく赴任する技術者一名のカバンが開けられ韓国のスポーツ新聞を調べているようだったので、私から税関の担当者に新聞は禁制品には入っていないので読むのを中止するよう、また、何の理由もなくカバンを開けないよう注意喚起した。すると、先方は他人のカバンについて関係のない者が口をはさむな、検査場から出ていってほしいと反論。これに対して、私はＫＥＤＯ事務所代表として議定書の手続きを守らないことに抗議をしている旨述べたところ、「共和国」を批判するような記事があっては困るので調べているとの回答。若干の押し問答の末、特に問題もなく全員が無事通関したが、いつも何かを抜き打ち検査しないと気が済まないのは当国税関の体質か。

陽化《ヤンファ》での立ち往生

帰任者等十三名と北の案内員二名を乗せた日本製の大型バスは、順調にサイトに向かっていたのだが、あと三十分ぐらいで着くというところで思わぬ障害に出遭ってしまった。陽化《ヤンファ》の町外れを流れる小さな川で橋が壊れている（昨年八月から放置されている）。川を渡らなければならないのだが、川面が凍っていてその下がどれだけ深いのかわからないため、怖くて渡れないとのこと。

しばらく安全な道を探していたが、やはりサイトに助けを求めることになり、電話もないため、たまたま通りかかった車に便乗して連絡を取った。そのため現場で三十分ほど待たなければならなかった。

韓国製のジープが五～六台列をなして現れた時は「これで助かった」と思った。「ジープ軍団」は、ＫＯＫの徐《ソ》代表（軍団長？）の指揮下でてきぱきと「救助作業」に入り、あっという間に我々を温かい古巣まで運んでくれた。そんなわけでサイト到着は夜十一時三十分ごろとなった。きらきらと輝く大きなクリスマスツリーが我々を歓迎してくれているようだった。

サンタが来ない理由

食堂や事務所で久しぶりに再会する韓電建設本部、施工企業団職員と無事帰任した旨挨拶を交わす。私を見て顔色が良くなったという人が多かった。事務所や宿舎のカレンダーを今年のものに替え、事務所の机の上にニュージーランド（ミルフォード・サウンド渓谷）で妻と一緒に撮った写真を飾ることにした。

Ｋ医務室長は、私の留守中に自分のところにはサンタクロースからプレゼントが届いたが、北の住民にはサンタが来なかったようだとして、その理由を教えてくれた。

●ぼんくら外交官のつぶやき●

「北朝鮮にサンタクロースがやってこないって本当ですか？」

私が日曜日ごとに礼拝に通っていた新浦《シンポ》教会（住居地域内にあるプロテスタント教会）の信者たちに聞いてみた。教えられた深刻な事情は次のとおり。

北の案内員の乗る席がない（＊サンタも案内員同行なしでは国内で移動できない）。

（暖房用の）煙突が小さすぎてどの家にも入れない。

八頭のトナカイがあの重い金日成バッジをつけてはそりを引くことができない（＊金日成バッジなしでは道路を通行できない）。

北の税関があらゆるプレゼント袋を開け、いちいち手探りで細かく検査する。

北の子供たちが（空を飛ぶ）存在として信じているのは人工衛星でサンタクロースではない。

北の思想体系には、大きな顎ひげを生やし赤い服を着た人物は、カール・マルクス以外にはいない。

昨年サンタクロースが南に向かって出国する時に持ち出そうとした北の印象記のため、一時拘束されたことがある（＊北にとって不都合な真実が書かれていた？）。

ゴーストタウン

北の夜は暗黒に近い。宣徳《ソンドク》からサイトまで行くのに通過する街や村のほとんどに街路灯はなく、アパートも真っ暗で人が住んでいるとは思えない。ただ、新浦《シンポ》市に入って電灯が点いている家を相当見かけたが、これはひょっとしたら夜八時からは一定時間電気が使えるからではないかと勘ぐったりした。

牛車に運ばれる薪

バスが山間部を通る時、薪をリヤカー（牛車）に積んでどこかへ運んでいる人を何人か見かけた。おそらく炊事と暖房用に使われるのだろう。

高麗《コリョ》航空に搭乗する人たち

十二日、北京発の高麗《コリョ》航空平壌《ピョンヤン》便には、かなり大勢の客が乗った。北京空港の待合室ではユニセフ平壌《ピョンヤン》事務所のイタリア人医師に会ったが、彼は「北では焦らずに待つことが肝要」と言っていた。日本人も何人か見かけたが、そのうち個人で旅行しているという日本の旅行会社の人と話す機会があった。日本から北朝鮮への観光ツアーは「C旅行社」で、細々とやっている由。名古屋からのチャーター便がなくなったので、今は北京経由でやっているとか。今回は四泊五日で平壌を中心に観光コースの調査をするのが目的とのこと。

一月十四日（木）　晴

金《キム》副局長と期待感の持てる昼食会

思いがけず徐《ソ》代表から昼は麺類を食べようとの誘いがあったので、金《キム》職員と一緒にゲストハウスについていくと、韓国外為銀行の金支店長とGBの金副局長及び朴《パク》承学職員が現れた。徐代表の招待を受けて麺（トウモロコシで作ったそば）を食べに来たとのこと。同副局長は、「先酒後麺《ソンジュフミョン》」という言葉を引用しつつ酒が準備されていないことに不満を漏らし、酒（焼酎）が出た後も料理や銀行預金（すでに韓国外為銀行に十万ドルを預金してあるという冗談を言っていた）などいろいろな話をして楽しく食事をした。冗談が言えるというのは、それだけ心に余裕があり、お互いが親しくなったというこのように見受けられた。仕事の話は一切出なかったが、GBの態度が徐々にいい方向に変わっているのではないかという期待感の持てる「昼食会」であった。

バーができる？

追悼所の酒席でゲストハウスでの酒の飲み方が話題になった。昨年末、韓国側労働者が（韓国政府軽水炉事業企画団から二名の出張者も交じっていた由）酒を飲んで大声で歌を歌った件で、GBからの抗議があったため、皆が自重しているようだ。しかし、その事件後にゲストハウスに行った人によると、南の歌は歌わないようにとの指示がKOKから出ているとか、根も葉もない噂が飛び交っているらしい。合唱はだめだが独唱はいいと解釈している人もいる。徐《ソ》代表は酒を飲んで（思い切り）南の歌を歌えるようにするためには、住居地域に南で運営するバーのようなものが必要との意見をすでに張《チャン》KEDO韓国大使に伝えたらしい。

問題はそのバーにウェイトレスを置くかどうかだが、ジョーン米国代表がすでにその候補を見つけているという冗談も出るほど機が熟してきた気配がする（昨日休暇で韓国に滞在中のジョーン代表が仁川《インチョン》のとある酒場から宿舎に電話を入れ、たまたま電話をとった私がそこのホステスと会話をするはめになった）。

一月十七日（日）　晴

車と自転車の交通事故発生

本日午後、砂利採取場近くの道路上で我が方の車と北の住民の乗った自転車が接触し、先方住民がけがをするという交通事故が発生した。通報を受けて我々代表三名が現場に着いたのは午後四時三十分、その時にはすでに当事者は北青《プクチョン》郡の病院へ行っていて現場にいなかった。後に我が方運転手及び北側目撃者（住民二名）から聞いたことを総合すると、事故の概要は次のとおり。

本日午後二時三十分ごろ、施工企業団職員Y氏（四十八歳）が建設資材等の状況確認のため車

（現代《ヒョンデ》製軽トラック「ポーター」）で龍田里《リョンジョルリ》（南大川《ナムデチョン》砂利採取場から約二キロ琴湖《クムホ》里寄りの地点）を通り過ぎようとしたところ、幅九・五メートルの新設道路上の右側をふらふらと自転車を運転している中年の男性が目に留まり、危ないと思い警笛を二度鳴らして通り過ぎようとしたところ、自転車が中央部分にハンドルを切ったため道路の中央部分で接触、衝撃で自転車に乗っていた住民が倒れ手足と顔に外傷を負った。（我が方運転手によると）被害者は自分で立ち上がり、何事か口走りながら自分で血を拭こうとしたので、運転手が介抱していたところ、被害者から酒の臭いがした。

しばらくして社会安全部職員三名がやってきて、現場と事故時の状況を確認、聴取した。事故車は右側のサイドランプとサイドミラーが壊れたものの、大きな損傷がなかったので、他に移動手段がないこともあり（すぐ後ろからやってきた我が方のジープはＫＯＫへ連絡するためサイトに引き返した）、事故車で被害者を北青郡の病院まで運んだ。北の同行者の話によると、被害者は肋骨一本が折れており、両手と顔に外傷が見られ、頭も打撲のため脳に異常がある可能性があるので様子を見るためそのまま入院させたとのこと。

この事故は、たまたま四〇〇メートル後から車（ジープ）を運転し通りかかった我が方Ｐ警備室長が目撃し、事故発生直後現場を通りかかった施工企業団部長も被害者から酒の臭いがした事実を確認している。

ＫＯＫは午後四時ごろＰ警備室長から連絡を受け、ＧＢの金《キム》副局長らとともに全員で現場に急行、病院から帰ってくるＹ氏らを待って、北青社会安全部龍田《リョンジョン》分所副所長らと三者合同で現場にて事実の確認を行った。北の目撃者は被害者は酒を飲んでいないと主張。また、警笛も聞こえなかったと証言。Y氏とP室長はいずれも北側が作成した「陳述調書」に代わるメモ紙に我々の立ち会いの下で署名し掲印を押した。

その後事故車の取り扱いで意見が合わず、約三時間をその交渉のために費やした。つまり、先方は事故車は国内法に則り抑留または先方管理下で保管すると言い張り、我が方はKEDOの財産はいかなる場合にも引き渡すことはできないとの原則論の対立となった。双方が妥協点を探ったが、保管場所については、いったん近くの我が方資材置き場で合意したものの、車の鍵を北側が預かると主張し、また物別れ。遂に北青の社会安全部の局長がやってきて、近くの社会安全部分所（南大川《ナムデチョン》から北青寄りに一キロ行ったところ）に保管し、鍵は我が方が管理することで決着。明日、琴湖《クムホ》社会安全部に事故処理を移管し再調査することになった。

交渉中、マイケル代表の妥協を許さない強硬な態度が目についた。あくまでも議定書遵守を要求して引き下がらなかった。徐《ソ》代表は、我が方当事者は日米韓のKOK代表であると北側に説明し、マイケル代表や私の意見を聞きながら北との交渉に柔軟な姿勢で臨んでいた。私は車の保管場所については、「その他の工事地域」内であれば問題ない（抑留されたことにはならない）、また、先方当局の管理外（当初北は建設サイト内の食堂の庭を提案していた）であれば、そこに「駐車」して鍵はGBに渡すのも一つの案ではないかと意見を述べた。

事故現場は指導村

今回の事故現場は、かつて故金日成《キムイルソン》主席が農業の指導にやってきたという「指導村」（龍田里《リョンジョルリ》）の前で起こったものであるが、夜になって四～五階建てアパートの各戸に電灯がともったのには感心した。琴湖《クムホ》地区の他の村も相当の灯りが見えたので、このあたりは特別な地域ではないかという感を強くした。

目撃者発言の信憑性

当地に来て初めて北の住民と中身のある会話をした。目撃者二人と少しの時間ではあったが、単独に話すことができた。「被害者はいつも酒を飲むのか」「なぜ道路の中央に出たのか」について聞いたところ、積極的に答えてくれ、「酒を飲む人ではない。（警察官として）勤務中であったのであり得ない話」とか「車に驚いて中央に行くことはあり得る」とか、被害者が近くの派出所の所長であるというようなことまで、べらべらとしゃべってくれた。外国人を警戒している様子がなかったのが不思議だ。ただ、その発言の信憑性には疑問が残る。

一月十八日（月）晴

現場検証に新たな目撃者現る

昨日の交通事故の現場検証が琴湖《クムホ》社会安全部劉部長を中心に行われ、ＫＯＫからも三代表が立ち会った。主として現場で当事者等（「被害者」は入院中につき欠席）から事故当時の様子を聞く形で行われた。我が方は大体昨日と同じラインで説明したが、先方は新たな目撃者（二十代の青年）を連れてきて、我が方の車が二台並んで走っていて、一台が追い越そうとして自転車と接触したとの根も葉もない（と我が方の関係者が言っている）ことを証言した。また、相変わらず先方の誰もが「被害者」は酒を飲んでいなかった（し食事もしていなかった）と陳述していた。

事情聴取

夜になって運転手のＹ氏と目撃者のＰ警備室長から陳述書を取る作業がゲストハウスで行われ、ＫＯＫ三代表も同席。先方から当方の非を全面的に認めさせるような誘導尋問がしつこく行われたが、我が方はこれには答えず、事実関係のみを陳述して、先方が作成した陳述書に当事者のみ署名した（ＫＯＫにも立会人としての署名を求められたが、これを拒否した）。

被害者の正体

自転車に乗って事故にあった人物は、四十七歳の男性で池《チ》某氏、住所は南大川《ナムデチョン》の向こう側のダンウ里にあり、隣村の龍田里《リョンジョルリ》で（社会安全部の）派出所の所長をしているとのこと（「警察官」なら酒を飲んで自転車に乗ってもいいのかな？）。

一月十九日（火）晴

二回目の現場検証

本日の現場検証は、事故時の車や自転車の位置を検証する作業となった。双方の主張に差があるので、とりあえず双方の主張どおりそのまま再現する形で車を止め測量した。我が方が認める位置については、先方から確認の署名要請があり、測量に立ち会った私が先方作成の計測資料にサインをした。

新たに「被害者」の血を拭いたティッシュ（血はあまりついていない）が道路脇で見つかり、その位置から接触現場が推定でき、我が方に有利になるものと期待できる。事故を再現した写真も撮影。

先方は、車が三十メートル手前でブレーキを踏んだと主張していたが、ブレーキ試験の結果、時速四十五キロでは十二メートルもあれば完全に停止することが明らかになった。

事故車検証

午後三時から先方の車両専門家（技術者）による事故車の検査が行われ、今回の事故でできた損傷が調査された。我が方運転手から右側サイドミラー下部のへこみは、今回の事故によるものではないと証言したが、そのへこみを最近修理しようとした痕が確認され、若干の物議を醸した。事故車の状況についても、ＫＯＫに確認を求められたので私がサインをした。あくまでも事実の記載であり問題ないと判断したためだが、後でマイケル代表から「署名する必要はなかった」と言われた。

事故車の保管

事故車の保管については、また論争となった。前もって打ち合わせのとおり、私がＫＥＤＯ財産のいかなる形での押収、抑留は認められないと強硬に主張し、先方のゲストハウス留置の要求を突っぱねた。これを仲裁する形で、徐《ソ》代表が提案して必要な調査が終了次第すぐ通報すること、いつ終了するかを前もって決めることを要求し、とりあえず明日の十時三十分まで一時的にゲストハウスに「駐車」しておくことで合意。結論は持ち越されることに。

琴湖《クムホ》社会安全部

今回の事故処理に当たっているのは琴湖《クムホ》社会安全部。物わかりがよく性格も穏やかな柳《ユ》部長と、若干要領を得ない消防班の金《キム》班長が中心となって処理している。同人たちは公平に調査をすると言っているが、これまでのところその態度に疑問が残る。

一月二十日（水）晴

早期終結を祈るしかない

午前十時三十分から事故車の取り扱いについて琴湖《クムホ》社会安全部及びGBとゲストハウスで協議。部屋がなかったので、フロントの横のバーで立ちながら約十分間の話し合いとなった。先方より、今後被害者事情聴取にあたって、その証言等を事故車と照合する等追加的調査が必要となり得るので、双方がすぐ確認できるゲストハウスに留置してほしいと要請があり、鍵は当方で保管すること及び調査終了後速やかに通報することを認めさせ了解することとした。事故処理の早期終結を祈るしかない。落としどころは、双方が非を認め、「被害者」への保険金支給のみで解決する方向か。

一月二十六日（火）晴

交通事故調査結果

午後四時からゲストハウスで二時間弱にわたりGB（琴湖《クムホ》社会安全部同席）から、本件調査結果についての報告を聞いた。先方は、我が方運転手が嘘をついているということを車や自転車の速度と事故現場の位置関係から証明し、我が方に道徳的責任までとるよう要求してきた。これに対しKOKより、先方の判断に同意できるかどうかはもっと検討を要する（北側の関連資料を入手）こと及び道徳的責任については、協議の対象としないことを申し入れるとともに、調査が終了したので本日から事故車を使用することを通報した。

琴湖《クムホ》社会安全部所見の概要は次のとおり。

・KEDO側（運転手）の責任

右側通行違反、交差点での徐行違反、危険な状況での減速違反、追い越し時の警笛等の未実行。

・北側（被害者）の責任

道路通行方法（右端一メートル以内）違反、横断時の安全確認義務違反

二月二十二日（月）晴

保険金を支給して解決

一カ月前の自動車事故は、北朝鮮側の保険会社と施工企業団が協議し、被害者に決められた保険金を支給することで解決の運びとなった（但し、その過程で同保険会社から補償金［見舞金］のようなものを要求されたが、これには応じなかった由）。これは、李《イ》代表とGBの黄《ファン》職員との口頭での了解。後で問題とならないよう、これを確認する口上書を発出することになった。

また、今後保険料の引き上げ等の先方の対抗策が考えられるが、我が方にもサイト内でのみ使うダンプ等には保険をかけないという対抗策も考えられる。サイト内の事故の補償は一切してくれないということになっているからだ。なお、北の労働者がサイト内で事故を起こした場合は、派遣元の「会社」がこれを補償する契約になっているとのこと。

一月二十九日（金）　晴

サイトにおけるいろいろな問題

ＫＥＤＯ本部からハイレベル実務者会合への出席承認が下りたので、その議題についてこれまでの資料をもとに自分なりに問題点を整理してみた。

（一）　ＫＯＫ職員への査証発給

ＫＯＫ職員への一年間有効の数次査証が発給されておらず、宣徳《ソンドク》、陽化《ヤンファ》以外の地点から出入国をする際、入出国を阻止されることがある。これは北側の議定書違反。

（二）　通関手続き

禁制品以外の物に対する押収の事例が散見される。また、正当な理由なく手荷物を開けて検査をするのは日常茶飯事。原則としてエックス線検査のみによる検査の遵守を強く要求する必要がある。

（三）　通信

当方が通信用に使用しているインマルサット維持管理のための定期的な電波発射試験が認められていなく、非常時の通信体制に不安が残る。一ないし二カ月に一度の試験使用を認めさせたい。

本格工事に向けて建設サイトのどこにいても案内放送が聞ける設備を設置したいという我が方の要求に、北側は保安（思想）上の理由からこれに応じていない。

（四）　北側の銀行開設

朝鮮貿易銀行琴湖《クムホ》支店の開設が遅れており、我が方の北側への送金、決済業務が円滑に行われていない。北は、昨年五月のハイレベル実務者会合で早期設置を約束している。

（五）　病院

緊急時の治療先として咸興《ハムフン》病院が候補に上がっているが、北はその施設視察を認めてくれない。医療水準に過大な期待は禁物だが、緊急移送とのかねあいで一時的収容先として必要となることもあり得よう。

（六）　休養地

労働者のレクリエーションを目的とした休養地への旅行が、先方の高すぎる料金設定のため合意に至っていない。候補地としては、傀岩島《クェアムド》及び李儁《リジュン》先生（注：一九〇七年に大韓帝国皇帝高宗《コジョン》がオランダのハーグで開催されていた第二回万国平和会議に送った三人の密使のうちの一人）の生家が挙がっている。

（七）北側検問所

北側はサイト周辺に我が方の合意を得ず十四カ所の検問所（警備員詰め所）を設置したが、うち住居地域前の検問所（一カ所）はコリドー内に建っており、その移転がされず最終合意に達していない。北側は合同調査ですでに合意を得ていると主張して我が方の要求に応じる気配はない。実質的には、検問は実施しておらず、我が方の自由通行を妨害するようなことは行われていないこともあり、静観中。

（八）急病人の移送

急病人輸送のための飛行機の領空通過に必要な手続き及びルートが確定していない。緊急医療サービス会社（ＡＥＡ）とも契約は了しているものの、患者の移送が実施できる北朝鮮政府の許可が得られていない。我が方は空路、海路の両方でいかなる方向にも行けるように要請しているが、回答がない。

（九）海岸開放

住居地域前の海岸部分（約一・二キロ）は、議定書で工事着工から十四カ月後に我々に開放されることとなっているが、期限の昨年十月十九日以降も開放されていない。我が方より北側に開放のための合同調査を要請しているが、未だ何の回答もない。今後とも根気強く合意事項の実施を要求していく。

（十）　安全確保
窃盗、器物破損事件が起こっており、より一層の治安の強化が必要。
（十一）サイトへの自由な出入りと自由使用の制限
建設サイト南側の海岸（注：道路と鉄道により建設サイトは二カ所に分割されている）への立ち入りと建設目的以外の使用を北側が制限している。当該場所では未だ工事は始まっていないが、労働者の余暇（釣り等）の場所として適している。北側は工事が進捗しない限り制限をやめるつもりはないが、代替地を提供して該当場所に行かないよう我が方に要請している。我が方は北側に議定書違反として抗議しつつ、とりあえず労働者に立ち入らないよう指導している。
（十二）北朝鮮労働者の労務提供契約
現在、北との正式契約のないまま北側労働者の提供を受けている（正式契約が未締結）。我が方は、北側労働者の生産性が低いという問題と賃金の引き上げ問題を絡めて協議する予定。
（十三）航空路の追加
より効率的で経済的な人員及び貨物輸送のため、サイトと平壌《ピョンヤン》、またはサイトと宣徳《ソンドク》間にヘリコプター航路を開設することを提案する。
（十四）野菜の試験栽培

韓電建設本部が独自で進めているビニールハウスによる野菜の試験栽培は、北側農民の無関心と経済的理由（コスト高）から、当初の栽培期間を三カ月のみ延長して明年二月には中止される予定。困難な交渉をまとめて始めた事業であり、非常用食料の確保の観点から若干の疑問が呈されている。

（十五）バージ船の緊急避難の受け入れ拒否

現在三カ月に二回の割で運行されている韓国からのバージ船が、途中の北朝鮮の領海内で緊急避難をする必要が生じたときにこれを受け入れる体制が整っていない。北側に善処を要求済みだが、人命に関わる問題なので末端機関まで周知徹底してもらう必要がある。

一月三十日（土）　晴

冷麺によく似たジャガイモそば

最近ＫＯＫ内での試食会が続いている。今日は、北が苦肉の策で（？）考え出した「ジャガイモそば」を試食。麺はジャガイモから作り、汁はトウモロコシの実を絞って味付けしたもの。冷麺によく似た味だった。熱い汁だと麺が煮溶けてしまうため、冷たいものしかできないとのこと。それでもマイケル米臨時代表は汁を温めてもらい何とか食べていた。

二月一日（月）　晴

人々があふれかえる物々交換「市の日」

毎月一日は、俗厚《ソクフ》村で物々交換の市が立つようだ。朝の出勤時に背中にリュックを背負って道を歩く大勢の人に出会い、何回か警笛を鳴らす羽目になった。こんなに大勢の人が歩いているのを見たのは初めてだ。

二月十二日（金）　晴

初めての国内出張

私は香山《ヒャンサン》（平壌《ピョンヤン》から百六十キロ北方に位置する避暑地）で開催された「高級実務者会合（ハイレベル・エクスパート・ミーティング）」に出席するため、九日から十二日まで初めて北朝鮮国内に出張をした。その際印象に残ったこと等を書き残す。

愛想のよいウェイトレス（儀礼員）

宿泊した香山《ヒャンサン》ホテルの儀礼員（ウェイトレス）は皆愛想がとても良かった。韓国人の意地悪な冗談やしつこい誘いにも優しく応えていた。写真に撮られるのも気にしていない（喜んでいる?）感じだった。厳しい交渉の中での心の安らぎとなった。

険悪にもなる会議の雰囲気

先方の代表である金星深《キムソンシム》軽水炉対象事業局長は終始にこやかに対応していたが、主張する内容はなかなか厳しいものであった。どんなことでもわが方の工事の進捗状況と関連づけているという印象だ。我が方は、理事国政府代表側とＫＥＤＯとの意見調整ができておらず、その打ち合わせに相当な時間を割いた。特に、韓国代表の軽水炉支援企画団朴《パク》部長が過去の経験を踏まえてかなり強硬な態度で臨んでいたのが印象に残る。ＫＯＫへの技術者の増員派遣については、本プロジェクトを米国の管理下におくべしとする北側の主張に真っ向から対決する発言をして、会議の雰囲気が一時険悪になったりもした。

医療分科会

会議二日目に私は医療分野の分科会に出席した。先方からは、平壌親善病院の許応龍《ホウンリョン》技術副部長、民営航空総局営業部の李洪龍《リホンリョン》指導員及び対外保健協助社の金四星琴湖《キムサソンクムホ》地区協助部長が出席した。我が方は、ＫＥＤＯのＪ部員及び韓電建設本部総務課長と私であった。

先方は緊急時に協力するのは当然としつつも、いくつかの条件を述べ、簡単に合意できるようなものではなかった。特に救援機到着の二十四時間前通報や中国国籍の飛行機使用、宣徳《ソンドク》空港への乗り入れ拒否等はそのまま受け入れるわけにはいかないと思う。ヘリコプターのチャーター料の一時間八〇〇ドルも高い。

咸興《ハムフン》病院訪問はいろいろやりとりの末、本年五月に訪問するということでいったん決着した。ただ、この件につきなぜ韓国政府が強く要求するのか理解に苦しむ。本当に南側労働者の入院を検討しているのだろうか。

二月十三日（土）　晴

香山《ヒャンサン》会議の印象

今回会議の概要と印象につき、出席した日韓両代表がジョーン米国代表に報告。

・ドラフト

北側が協議議事録のドラフトを提出したのは、今回が初めてで注目される。

・議題

高級レベルで討議するにふさわしい議題だけではなかった。先方のヘッドがGBの総局長ではなく局長である限り、我が方からはKOKで対応すればよいのではないか。琴湖《クムホ》の関係者が香山《ヒャンサン》に集まったという感じ。

・通訳

ＧＢの金《キム》局長が我が方通訳の金《キム》職員を直接叱責（正確に訳すように）した由だが、国際儀礼に反することだ。先方の通訳が上手だったとはいえない（ＫＥＤＯの韓国人部員が若干の補足説明をしたのが誤解されたのかもしれない。私は、うまく通訳していたと思った）。

・休養地訪問

本来北が休養地に招待すべきものであり、コストの問題は取り上げるべきではないという意見もあったが、私はコストは北にとって重要な問題であり、これを無料で済ますわけにはいかないだろうと感じた。

・海岸開放

本格的工事契約締結後の交渉でよかろう。

・通信

現状で大きな問題はないが、無線機の距離拡大と案内放送は必要。

・緊急移送

一度訓練をやってみるのも一案か。

・北の銀行開設

現金での決済に問題があることが、北側にも認識されてきた。

誕生日の影響か

帰路通過した町村を見る限りでは、金正日《キムジョンイル》総書記の誕生日（二月十六日）のせいで旧正月の飾りや雰囲気がなくなってしまっているような感じを受けた。

二月二十三日（火）晴

深刻な電力不足からの節電

このところ平壌中央放送では、「電気を節約しよう」というキャンペーンをやっている。さらに、「偉大な将軍様」（金正日《キムジョンイル》総書記）を持ち上げる番組でも小規模（水力）発電所の建設現場視察が必ず取り上げられており、電力不足が深刻だということがよくわかる。

第四章　一九九九年　春

三月一日（月）　晴

農民の日課

李《イ》代表がパイプライン工事現場から興味深いものを拾ってきた。横二十五センチ縦十七センチのダンボール紙で、表には「止まれ！伝染病あり」と大きく書かれており、裏には（おそらく集団農場で働く人の）日課表と週間行事表が貼り付けられていた。当地の農民の様子を伺い知ることのできる内容なので以下に仮訳《かやく》する。なお、いつ作成されたものかは明らかでない。

日課表

月別	出勤時間	作業準備／開始	昼食時間	退勤
十二～二月	八時	八時三十分	十二時～十四時	十六時三十分
三月と十一月	八時	八時三十分	十二時～十四時	十七時三十分
十月	六時三十分	七時三十分	十二時～十四時	十七時三十分
四月と九月	六時三十分	七時	十二時～十四時	十八時
七月～八月	六時三十分	七時	十二時～十五時	二十時
五月～六月	六時三十分	七時	十二時～十四時	二十時

週（間）行事表

曜日	行事内容	備考
月	労作「徳性実記」「回想実記」発表の集い	
火	名言、スローガン解説の集い	
水	主体農法学習	
木	休み	
金	週（間）生活総括	
土	学習講演会	
日	歌普及事業	

三月二日（火）晴

その本は「きれいに読むべし！」

ゲストハウスに散髪に行ったところ、そこの女子従業員が本を読んでいたので内容を聞くと、何年か前に韓国で釈放された李仁模《リインモ》という北の工作員の手記だという。南で服役中にも絶対に共産主義から転向しなかったことに相当感激している様子。私の読んでいる北朝鮮で発行された本（『永生《ヨンセン》』、表紙がとれそうになっている）を見せたら「首領様のことが書いてある本はテープで縁を保護してきれいに読むべし」と注意された。

●ぼんくら外交官のつぶやき●

長編小説『永生《ヨンセン》』（ペク・ボフム、ソン・サンフン共著、文学芸術総合出版、一九九七）には、琴湖《クムホ》に支店がある「玉流館《オンニュウグァン》」の由来についての記述がある。「玉流館《オンニュウグァン》」というのは、平壌《ピョンヤン》市内大同《デドン》江沿《ガン》いにある有名な冷麺専門店の名前であるが、故金日成《キムイルソン》主席がそこに架かる橋を「玉流橋《オンニュウキョ》」と名付けたとあり（三三五ページ）、玉流館《オンニュウグァン》もそこから由来したものであろう（実際に橋のすぐそばに店がある）。その命名理由がすばらしい。「大同江《テドンガン》水（流れ）が、玉（宝石）のように澄んで、きれいで、貴重という意味にもなり、傷（欠点）がひとつもない玉のような人民の心、人民の喜びが流れるという意味にもなった」ということらしい。

なお、その本は読書中に（製本がしっかりしていないので）ぼろぼろになり、翻訳を終えた後どこかに紛失してしまった。金正日《キムジョンイル》将軍様が主人公になっている小説を汚し失くした「罪」におびえて暮らしている⁉

三月八日（月）晴

婦女の日
今日は北朝鮮の休日（「婦女の日」）。ゲストハウスで魚をたらいに入れて頭の上に載せている三～四人のおばさんたちに出会ったので、女性の日なのにどうして休まないのかと聞くと、「我々はどんな日でも働くから」とわかったようでわからない返事が返ってきた。この国では女性が大事にされているという印象は受けない。通勤途上では、スコップを担いだり荷物を運んだりしている女性を多く見かけるからだ。

三月二十四日（水）晴

歌謡曲
玉流館《オンニュウグァン》に行くたびにきれいな「女性同務《ドンム》」（ホステス）が歌ってくれる北朝鮮の歌謡曲『また会いましょう』の歌詞を翻訳・紹介しておく。なお、この歌は一九八〇年代に一時的に南北離散家族再会事業が行われていた頃に作られたもの。

一　白頭から漢拏へ 我々は一つの民族
離れてどれくらいになろうか 涙もどれくらい流しただろうか
（＊）元気でね！ また会いましょう さようなら またね！
声の限りに 叫びます さようなら また会いましょう

二　父母兄弟心せつなく互いに探して呼び合い
統一よ！早く来いと叫びもう何年経っただろうか
＊繰り返し

三　夢のように再会してから我々が別れても
太陽と星が燦燦と輝く統一の日にまた会いましょう
＊繰り返し

（注）漢拏《ハルラ》（山《サン》）は韓国最南端済州島にあり、白頭《ペクト》（山《サン》）は北朝鮮北部両江道にある。

ゲストハウスで知るお湯のありがたさ

ゲストハウス宿泊者への便宜供与をしつつ、次のような不便な点があることを改めて確認した。

一．いつでもお湯が出る訳ではない（朝六時～八時、夜八時半～十時半の二回となっているが、その時間帯に出ないことがある）。

一．お湯が出てもぬるい（入浴をすると風邪を引くような感じさえする）。

一．サイトとの電話連絡ができない場合がある（電話交換手不在時）。

一．部屋の電話からは国際電話はできない（フロント横の国際電話室を利用）。

一．照明が暗い（夜の読書は無理）。

一．食事のメニューが少ない（朝鮮式料理以外は満足できるものは作れない）。

一．暖房が十分ではない（寒くはないが、暖かいと感じるかどうか）。
なお、外国人が利用できる部屋は最大二十室（内スウィート二室）しかない。

四月四日（金）　晴、強風

テニス大会でうれしい優勝

強風の中、月例のテニス大会が開催された。今回は上級者と初心者でチームを組み対戦。施工企業団三チーム二十六人が参加した。私はA組（五チーム）のリーグ戦で予選を戦い、四勝〇敗で決勝トーナメントに進出、さらに二勝して見事優勝の栄誉を勝ち取った。パートナーは施工企業団のS土木課長であった。前回（昨年十月四日）も初心者グループで優勝はしたが、全体の優勝とは言えないのでうれしさも半分ぐらいだった。今回は総合優勝みたいなものなので特にうれしい。テニスの練習を欠かさず続けてきたことの成果が表れたのではないかと思う。

なお、決勝戦で来訪中のマイケル米臨時代表夫人組と対戦できたことも思い出に残る出来事だった。

●ぼんくら外交官のつぶやき●

私とテニスの出会いは、テニス好きの妻に練習相手に狩り出されたことに始まる。四十四歳で八千代市に戸建てを購入してからというもの、妻は週一回近くのテニスコートでレッスンを受けるようになった。ところが、その魅力にとりつかれた妻が、休日に家でだらだらしている私に魔の手を伸ばしてきたというわけである。北朝鮮に赴任するまでの四年間は「スパルタ妻」に徹底的にしごかれた。そのおかげで私のテニスの実力も徐々に伸びていった。サイトに着いてからは、他にやることがないので、さらにこれに磨きがかかり、朝飯前、夕食後に「コンテナ団地」に住む若い仲間とテニスに明け暮れる毎日が続いた。お陰で滞在期間中病気ひとつすることなく元気で過ごせた。

四月五日（月）　曇りのち雨のち雪

吹雪で無念の帰還

朝、うれしさに満ちてサイトを出発した休暇組（私も含む）は、十三時間の往復バス旅行に疲れ果てて元の古巣に戻らざるを得なかった。宣徳《ソンドク》空港までは何の支障もなく予定通り到着。それまで降っていた雨がだんだん雪に変わり、とうとう吹雪にまでなった。それでも明日の早朝には晴れるのではないかとの期待から一時は馬田《マジョン》（宣徳《ソンドク》空港近くの保養地）で一泊することも考えたが、これまで何度も苦い経験をしてきているため、安全サイドの判断となり、サイトに帰ることとなった。よりにもよって家族訪問でやってきた女性と子供がいるときにこのような目に遭おうとは、思いも寄らなかった。
（四月八日から五月八日まで休暇のため三十一日間サイトを離れる）

五月九日（日）　晴

サイトへの遠い道

五月五日に休暇先のオークランドを出発し、六、七日と北京に滞在し八日に平壌《ピョンヤン》に入ったが、やはりそこからが「苦難の行軍」（北朝鮮で展開中の国民的運動のスローガン）であった。宣徳《ソンドク》で強風が吹いているため予定どおりチャーター機が出発できず、四時間も空港の貴賓室で待つことになった。空路がだめなら陸路で行けるところまで行こうということまで考え案内員に申し入れもしたが、夕方六時三十分に飛ぶことが決まり二十五名の帰任者は一安心。

宣徳《ソンドク》空港の税関検査では、私の手荷物を検査したいと言われたので、その理由をただしたところ、税関検査の妨害であるとして口論になった。議定書を遵守すべきであると抗議してがんばったが、私の申告した入浴用品がエックス線によく出なかったので確認したいとの理由を聞き、それを取り出して見せてやっと解決した。

夜九時に新興山《シンフンサン》ホテルで夕食を取り、真夜中の午前一時にやっとサイトに到着。ＫＯＫ代表全員を含む多くの人が出迎えてくれた。

五月二十三日（日）　晴

ゴミ拾いで知る生活の一端

天主教（カトリック）関係者が音頭をとって、環境保全のためのゴミ拾いが行われた。住居地域から建設サイトまで道路周辺のゴミを拾っていったわけだが、北側住民の生活の一端が窺えるようなメモも拾ったので、以下に紹介しておく。

「支配人同志へ

お元気ですか。役立たずの我が息子を預けながら、ちゃんとご挨拶もできない私を理解してください。支配人のいる限り立派な人間に育つだろうと祈るだけです。実は野菜を持たせて慶淑《キョンスク》（女性の名）をやりますので、話を聞いて何とか解決してください。豚一頭を手に入れてほしいのです（五十キロ程度）。国定価格で決済するか、もしくは物資委任状でもかまわないので、いただければ私が解決します。このような内容でよろしければ、一度我が家に立ち寄ってください。少し相談したいことがあるのです（慶淑《キョンスク》が通勤に苦労しているので、家でもあればなと思って）。それではお体を大切に。

俗厚《ソクフ》にて　父　拝」

（注：娘の住む家を割り当ててもらうための依頼と思われる）

勇敢であっても、冒険するな

「《武器庫》歩哨兵の特別任務」と題するメモには、冒頭に八つの留意事項が書いてあるが、判読できないので当該部分は省略し、後半にある「人生訓」のようなものを翻訳しておく。

尊敬はしても、ゴマをするな
頑強であっても、頑固になるな
欲張りであっても、意地悪になるな
批判はしても、侮辱するな
同情しても、融和するな
まじめであっても、くそまじめになるな
謙遜しても、適当にするな
勇敢であっても、冒険するな
忠告しても、口軽になるな

五月二十六日（水）　晴

進まないGBとの全体会議

　会議日程もすんなりまとまったので、会議も順調に進むものと思いきや、初日からもめ始めた。労務分科会の構成員をめぐって、我が方の主契約者レベルに対して先方は代表団レベルを要求。これにKEDOのM事業運営部長も強硬に反対。とりあえず、環境問題に関する議事録の協議を終わらせてから、労務問題を取り上げることになった。そのせいか同議事録協議は二時間で終わり、労務問題に入ったものの結局GB側の全般的な問題点を聞いて具体的な中身の協議には入れず閉会。

五月二十八日（金）　晴

環境分科会

　環境分科会に非公式通訳を兼ねて参加した。北側が住居地域の汚水処理を問題にしていることが初めてわかった。処理後の排水をパイプで運び海に流してほしいとのこと。現在は川に流しているが、水が流れていないので汚水による臭いや汚染がひどいとの主張だった。当方はきちんとした汚水処理施設ができるまでは難しいが、最善を尽くすということで理解を求めた。

五月二十九日（土）　晴

労働分科会

北側労働者の待遇問題だけあって熱が入ったが、感情的な議論にならず双方の代表（GB：安奉仕《アンボンサ》担当副局長、我が方：韓電NY所長）が立派にとり仕切っていた。社会主義国でも利潤の追求には必死になるということがわかった。時給単価の引き上げと有給休暇制度の改善で双方が合意した以外は特に進展がなかった。

なお、北側の労働者は社会主義制度の下でかなり恵まれているようだが、たとえば病気の場合は四十五日まで有給（七割支給）で休めるとか、一日八時間労働が保障されているということなのに、それでも現実はかわいそうに見えるのはどうしてだろうか。働いている姿が生き生きとしていないのはなぜだろうか。企業の利益や労働の対価がほとんど国家に吸い上げられているのであれば重税の国ということになる。

五月三十一日（月）　晴

朝の四時まで資料作り

代表団は朝の四時までかかって最終案をとりまとめてGB側に手交《しゅこう》した。私もこの作業が終わるまで事務所に一緒にいた。そして朝九時には環境・労務に関する覚書に署名ができ、代表団は肩の荷を下ろして眠そうな表情でゲストハウスを離れた。私は今回の会議にオブザーバーとして出席し、北朝鮮との交渉の難しさをつくづくと感じた。また、ＫＥＤＯ側がもう少し強気で臨んでもよいのではないか。複数の理事国の思惑が入り組んで、対北朝鮮との交渉で一枚岩ではいかないところにその弱さを感じた。

第五章　一九九九年　夏

六月三日（木）　晴

一瞬のうちに他の場所に移動する方法

ゲストハウスのバーで、またホステスによる「犠牲者」が出た。韓電建設本部のU副本部長だ。発端は北の音楽にあった。「将軍様」讃歌を聞いていたU氏が、歌詞の中に「縮地法」というおもしろい言葉を聞き取り、その意味についてホステスに聞いたところ、一瞬のうちに他の場所に移動する方法だとの答えに、将軍様にどうしてそんな能力があるのかと問いただしたところ、これは、将軍様を批判したということになるらしい。

GBには報告されなかったようだが、ゲストハウスの幹部にこれが伝わり、先方から抗議された由。不用意な発言ということで、文《ムン》代表が同人に今後気をつけるようにと注意を喚起した。

六月四日（金）　晴

GBとの協議の一つは「海岸開放」

二カ月ぶりの会議には、先方から金《キム》局長、鄭《ジョン》、崔《チェ》両副局長、外務省朴《パク》代表、通訳他一名が、当方からは私を含む三代表が出席した。久しぶりの会合でもあり、午後三時〇〇分に始まり、午後六時二十分に終わった。協議内容は、二月のハイレベル高級実務者会合での合意事項のフォローアップとして、次の事項が取り上げられた。

・貨客船の運航
・住居地域前の海岸開放
・建設サイトでの屋外放送システム設置
・ヘリコプター借り上げに関わる料金等の交渉
・朝鮮貿易銀行琴湖《クムホ》支店の開設
・通関手続きの改善
・ＫＯＫ職員への数次査証発給
・次回ハイレベル実務者会合の議題
・労働条件に関わる協議
・生活汚水問題
・北側屋外放送の騒音問題

六月九日（水）　晴

白髪の紳士はマラソンがお好き
　強風のせいで宣徳《ソンドク》空港到着が遅れ、スペンス米国代表（一年契約）は施工企業団労働者十名と共に本日真夜中一時にサイトに到着した。六十歳で白髪の紳士は、出迎えに出た何人かに韓国語と日本語

（私のみ）で応えてくれた。
後でわかったことだが、彼は韓国語も日本語も相当できる。気配りもたいしたものだ。昼食時に食堂で皆の水を、会議の時はコーヒーを入れて持ってきてくれる。スポーツ好きでマラソンは三時間四十分で走り切るらしい。外交官経験は三十三年と長い。

●ぼんくら外交官のつぶやき●

私がマラソンを本格的に始めたのは、次の任地である韓国済州島でマラソンクラブに入会してからである。したがって、この時聞いたスペンス米国代表のマラソン記録がどれほどすばらしいものかわかっていなかった。もともと走ることは好きで得意だったので、その後二十一年間走り続けてきた。この本が出版される頃にはマラソン完走百回を達成していると思う。苦しいことに耐える精神力がついたのは、ここでの経験が役立ったのではないかと思っている。

発見七個目、ここは不発弾のある国

午後二時三十分バックフォーで掘削《くっさく》作業をしていた施工企業団労働者が不発弾を発見。通報を受けて現場（掘削中の山の頂上付近）に駆けつけると、雷管付きの不発弾が不気味に転がっていた。NY報告用にデジタルカメラで写真も撮った。大きさは長さ四十七センチ、直径十二・五センチだとのこと。今回は発見後の処置（臨時フェンスの設置、危険物の表示）も早く、当該地域での工事も即刻中止した。それにしても、これで発見はすでに七回目、不発弾の多い地域だ。

六月十二日（土）晴

思ったより多い道路標識

朴仁鉄《パクインチョル》副局長（社会安全部劉《リュ》副部長、通訳他二名同席）とKOK（韓電建設本部よりS技術部長他一名同席）との道路標識をめぐる協議が行われた。昨日突然先方より開催要請があり、技術的なものであればKOK代表の出席は必要ないとも考えたが、議題を検討した結果、三代表が出席することとなった。

GBの主張と提案は、コリドー（サイト間連絡道路）に設置した一部道路標識（韓国の基準で我が方が設置したもの）が北側の基準に合わないので、これを北側のものに統一したいというもの。そのために、現在の南の標識を活用して中味（主として色、場合によっては形も）だけ変えるか、南の標識をすべて撤去し北の標識をその基準に従って新たに設置するということだ。

これについては、原則的に同意し詳細は実務者間で本日午後（北がなぜ急ぐのかは不明）協議することとなった。

問題は、費用負担と北にない標識（徐行、落石注意等）をどうするかにある。

北側は、新たに設置する場合はその費用は全額負担すると言っているが、本心はできれば我々に負担してもらいたいのであろう。

北の「道路専門家」によると、その道路標識は注意標識（一辺が九十センチの正三角形）が四十四種類、制限標識（直径九十センチの円形）が八種類あるとのこと。

六月十六日（水）　晴

「落石注意」標識が消えた!?

NYから道路標識について細かい質問が届いたこともあり、三代表で道路標識の調査に出かけることとなった。建設サイトから南大川《ナムデチョン》までは道路標識がほとんどなく（五カ所程度）、しかも、KEDO側が設置したものは龍田村《リョンジョン》の「十字路注意」（黄色）が二カ所と、鉄道との立体交差点に設置した水路用コンクリートブロックに塗られた「注意表示」（黄色と黒色の斑《まだら》模様）しかなかった。数カ所の交差点には何の標識もないが、住民の往来もあるので車の運転者に注意を喚起する意味からも標識があった方がいいように思われる。

建設サイトから住居地域への道路には、一応必要なところに道路標識が設置されているが、「落石注意」、「徐行」、「スリップ注意」等がいつの間にかGBにより撤去され（事後、我が方に引き渡された）、交通安全に若干不安が残る。韓電建設本部のS技術部長によれば、北の法律よりも厳しい速度制限をしている我が方の道路標識については、万が一交通事故が発生した場合、不利益を被《こうむ》る可能性があるとして、数カ月前に我が方が自主的に撤去したものもあるとのこと。

養魚場

通信所の左横に大きな穴が掘られているのを見つけ、近くで農作業をしていた女性に聞いてみると、養魚場を作るのだそうだ。どんな魚なのかは知らなかったが、淡水魚らしい。食料補給のためか、あるいは、所得向上のためなのか。

六月十七日（木）　晴

琴湖《クムホ》国際通信所

久しぶりに琴湖《クムホ》国際通信所を訪ねた。相変わらず屋上に「偉大な領導者金正日同志万歳！」とのスローガンが掲示されている。

何カ月か前にここで手紙を送る際に郵便料金のうち五セントが足りなかったが、後払いでそのまま受け付けてもらったことがあった。今日やっとその代金を精算した。帰り際に隣の売店のおばさんから「人工衛星」の切手が届くので明日取りに来いと言われた。どうしてこんなに早く処理できたのだろうか、不思議極まりない。金儲けには熱心ということか。明日二十枚購入する予定。

六月二十日（日）　晴

全国土の要塞化

我々が時々野外で活動する場所には、サイト（原子力発電所建設関連用地）に編入される前は軍部隊が駐屯していたらしく、未だ一部軍事施設が残っている。

海岸付近には、南から上陸してくる工作員を監視し銃撃するために半地下に作られた見張り小屋（二人が寝泊まり可）がある。今でも密かに使われている形跡が残っている。

海岸から一歩入ると、大砲が空から発見されないようにトンネルの中に隠していた跡が残っている。必要なときに使えるようにレールまで敷設されていた。

未だこのような施設に金を使っている北朝鮮の時代錯誤的で被害妄想的な発想に憤りさえ覚える。もっと人民のためになることに予算を使うべきだと思うのは私一人ではないはずだ。

一方では、韓国からの家族捜索や面会に法外なお金を要求している（一時的な面会に一人一万ドルが相場とか）らしい。お金の使い方と儲け方が常識から外れているとしか考えられない。

六月二十五日（金）　晴

フィルム押収事件

午後三時過ぎ、施工企業団から帰国労働者が知人から預かった手紙とフィルムを押収されたという知らせに急いで陽化港《ヤンファ》に駆けつけた。

税関でしばらく待たされたが、その間金正吉《キムジョンギル》外務省琴湖《クムホ》駐在代表と雑談（非公式交渉）をした際、彼が漏らしたところによれば、「今回の押収は先の南北交戦事件のせいである」とのこと。金剛山《クムガンサン》でも女性の観光客がたわいもないことで抑留された（本日解放された）が、ともかく何かの理由をつけて南を困らせようとしているとしか思えない。

今回の場合は、手紙に北を誹謗する内容がないかどうか検査するためで、フィルムは所持者が不審な行動（五個のうち三つを税関検査途中で他の者に渡した）をしたというのが北の言い分。KOKとしては、輸送議定書に違反しており、すべての押収品を即時返還するよう税関及び出入国事務所側に要求したが、もちろん聞き入れられなかった。但し、問題のない手紙とフィルム二個は返却された。仕方がないので、NYを通じて北朝鮮政府に抗議をすると言い放って、長い交渉を終えた。本に続いて手紙とフィルムが税関検査でひっかかるようでは安心して出入国ができない。北側は議定書よりも国内法規（規定にないものでも個人の印象や考え方でどうにでも解釈できる便利なものらしい）を優先させている。過去に事例があったからとか、怪しい動きを見せたからとか、申告書に書かなかったからとか、本当に法律の趣旨を理解して仕事をしているのかどうか疑わしい。我が方も毅然とした態度がとれればいいのだが、船の出港を遅らせて圧力をかけてくるのでどうしようもない。KEDOの力のなさをつくづく感じた日だった

七月一日（木）　雨

「議定書違反だ！」と抗議した結果

ＫＯＫより北朝鮮税関当局のフィルム押収は議定書違反であるとして返還を要求するとともに、二十七日の北側警備兵の海岸サイト立ち入りと銃器による威嚇について抗議した。

ＧＢ側（ＧＢ対外処長及び金正吉《キムジョンギル》外務省駐在代表）より新たに押収していたカメラに写っていた列車の写真を取り上げるとともに、我が方の議定書違反事例を列挙してＫＥＤＯ側の議定書違反を非難した。また税関側（金陽化《ヤンファ》港税関長及び金出入国審査官）はＫＥＤＯが北朝鮮の国内法を遵守すべきこと、及びフィルム押収は正当な理由があったとの主張を繰り返した。

フィルムはすべて現像されていたが、問題のない三本は会議の場で返却された。但し、列車の写っているフィルムと使い捨てカメラは押収されたままとなった（我が方から返却を強く要求）。

日本人女性が惚れるサイト

ＫＥＤＯ就職四年目で初めてのサイト訪問になったというＫ職員（日本人女性）は、事前に聞いていた話とずいぶんと違っていて相当気に入った様子である。韓国語ができればこちらで勤務してもいいとまで言っていた。女性スタッフは当地では大歓迎というところ。ＮＹの皆さんにケー・スンヒ（オリンピック女子柔道決勝で北朝鮮選手が田村亮子に勝って優勝する場面）の切手等をお土産にことづけることとした。

（七月六日から十七日まで休暇のため十二日間サイトを離れる）

七月十九日（月）　晴

在日朝鮮人の嘆き

先般の休暇時に、平壌から北京まで在日朝鮮人の親子（朝鮮国籍の母と日本の国籍を取得した次男）と話す機会があった。母国にいる長男夫妻を年一度は訪ねる（慰問するというべきか）という この親子は、北の現状に相当不満を抱いている様子であった。

ＫＥＤＯの現場に韓国人が二〇〇名も住んでいることや、日本や韓国とも自由に通話ができること、北の労働者の賃金が月百ドルであることなどに大変驚いていた。また、ＫＥＤＯの現場の様子が広く知れわたれば、そこで働きたいという者が殺到するだろうと感想を漏らしていた。なお、北朝鮮内では在日朝鮮人帰国者に対する差別があるのは事実であるとも語っていたのが印象に残る。

七月二十六日（月）　晴

陽化港《ヤンファ》の女性従業員

陽化港《ヤンファ》には出国者の便宜を図るためお土産売場とバーがあり、そこで働く女性従業員は全員平壌から派遣されてきている。それだけ外国人（特に韓国人）と接触する者を厳選し、社会主義体制の強さを見せつけようというわけだろう。しかし、我々が午後三時に突然訪れた時、バーを担当する女性従業員は、昼寝から目が覚めたばかりの顔をして出てきた。

日本のSビールを注文すると、冷えてないからといってカナダの缶ビールを冷蔵庫から出してくれたが、これも生ぬるいものだった。カウンターの後ろにある大型冷蔵庫は陳列棚として使われているとしか思えない。このような現実を見るにつけ社会主義の弱さを感じるのは私だけだろうか。

七月二十七日（火）　晴

戦勝記念日は公休日

今日は四十六年前に朝鮮戦争が終わった（休戦となった）日だ。北ではこれを記念して戦勝記念日として公休日に指定している。なぜ「戦勝」なのかというと、米国が最初に休戦を提議してきてそれに応じてやったからだということらしい。サイトで働く北の労働者も賃金がもらえなくても自主的に休まなければならないほどの重要な休日らしい。

空からの贈り物

十時過ぎ、暇を持て余していたムン代表が建設サイト巡回から慌てて戻ってきて言うには、また爆弾が出てきたとのこと。今度は俗厚村《ソクフ》の道路建設現場から運ばれてきた土砂の中で見つかった。用水路の中に埋まっていたらしい。大きさは長さ七十四センチ、直径二十センチで、真ん中に飛行機に吊るすためと思われる鈎《かぎ》がついている。錆は見られないが新しいものとも思われない。

GBにはすぐ連絡したが、あいにく「祖国解放戦争戦勝記念日」で休み。とりあえず接近禁止の標識をして関係者は通常の作業に戻った。

これまで幸いに爆弾が爆発して死傷者が出る事故は起こらなかったものの、万が一ということもあり得る。

七月三十日（金）　晴

労働条件交渉の結末

韓電建設本部と北側との労働条件に関する交渉は、九項目のうち次の六項目でとりあえず合意に達した。

・賃金算出方法の改訂（時間単価を〇・四〇〇ドルから〇・四二三ドルに引き上げ）
・超過勤務（一日八時間を基準にして作成、工程管理上不可欠な場合は相互協議）
・作業不能時の賃金補償（「個別労務契約」締結後に再協議）
・年次有給休暇（六カ月間皆勤後に七日）
・臨時休日（年間五日以内の無給臨時休日）
・勤務拘束（訓練期間中あるいは訓練終了後、一定期間を経ないで職場を離脱したら費用弁済）
なお、北側と合意に達しなかった事項は次のとおり。
・生産性向上（具体的方策をめぐって意見が不一致）
・サービス業への就業（サービス職種への就業奴隷になるとの意識から北側が難色）
・基本賃金引き上げ（一括合意に反対）
韓電建設本部はこれらの内容を本社に報告し、その承認を得た上で未合意事項について交渉を進めていく方針。

このままゴーストハウスになってしまうのか

北のゲストハウスは、我が方の来訪者用アパート（最大宿泊定員四十名）竣工に伴い、今後KEDO関係者の宿泊が期待できなくなった。ゴーストハウスになるのもそう遠くないかもしれない。あるいは、料金の引き下げとサービスの向上で対抗してくるか。

八月九日（月）　晴

見てはいけないものは見られない

昨日午後、文《ムン》代表とK女医（麻酔専門医）が一緒に海岸にサイクリングに行ったところ、海岸から帰る途中でたまたま「お召し列車」が通り過ぎるのを目撃。これを見つけた社会安全部の職員から氏名等職務質問されたとのこと。同列車は立派な客車（七両）に乗用車も三台積んでいたとのこと。誰が乗っていたのかはカーテンがかかっていて見えなかったそうだが、それでもそれを見たことが悪いらしい。

国民に信頼されている人物なら何も見られることを恐れることもないだろうに。踏切へ通じる道では列車の通過が見えない地点で一時通行を止められた者もいたそうだ。

八月十一日（水）　晴

つい気にしてしまう運転席のラジオ

北側は我々のラジオの音が気になるらしい。本日通信所に買い物のため立ち寄った施工企業団の車から南の放送が聞こえたのが耳に障ったらしく、GBから抗議の電話があった。それにつけても、自分たちの野外放送がうるさいという苦情には耳も貸さないで何という態度だろう。

疎外感はない「収容所」生活

本日で琴湖《クムホ》滞在満一年になる。その間病気ひとつせず元気で任務を遂行できたことが何よりもうれしい。家庭と自由はないが、責任感を伴う仕事があり、余暇には大好きなテニスが楽しめ、きれいな空気の中で暮らせることに魅力を感じつつある。九十九パーセントが韓国人からなる「収容所」生活は、若干の孤独感はあるものの言葉と食事にほとんど苦労をしていないせいか、それほどの疎外感はない。北朝鮮の人たちとは日常的なつきあいが全くなく特に親しみも湧かないが、金《キム》父子（金日成《キムイルソン》と金正日《キムジョンイル》）礼賛しか知らないかわいそうな国民だと思う。

八月十二日（木）　晴

トウモロコシ、豆など大豊作

南大川《ナムデチョン》に至る道路の周辺には共同農場が多く見られるが、いずれの水田も稲が順調に育っており今年は豊作になりそうだ。また、トウモロコシや畦に植えられた豆もできが良い。農民が生産した米を自分らで自由に消費できるのなら、少なくとも当地での飢餓問題は起こりそうにない。

八月十三日（金）　晴

三者連絡会議「各寝室にテレビを！」

韓電建設本部、施工企業団との定期的な連絡会議も話題に事欠かず定着してきた感がある。本日も一時間強の会議となった。

（一）労働者用アパートの住み心地

入居開始後一週間が経って労働者側からの反応は次のとおり。

・居間が狭い（六人で同時使用）。
・寝室（二人一部屋）が狭くて身の回りの物を置く場所がない。
・ハンガーが足りない。
・トイレが不足（六人で一カ所）。
・洗面台が不足（ベランダへも設置希望）。
・各寝室にテレビを一台ずつ設置してほしい。

（韓電建設本部は、トイレを除いては、一人一部屋となれば解決する問題として特に対策は考えていない由。テレビも一部屋一台配置する計画あり）

（二）家族のサイト訪問

李《イ》代表の家族訪問は例外的に認められたものの、今後は物見遊山的な訪問は認めないというのがＧＢからのメッセージ（公文書）だ。これについては、李《イ》代表の家族が無事帰国した後にＫＯＫの反論を伝える方針だ。

ＧＢがこのような決定をした背景には、これまで多くの韓国人が出張という名目でやってきては北側を馬鹿にするような言動をしたため、家族訪問は一緒に生活をするのが目的であるべしとする、議定書とは異なった解釈及び北側ゲストハウス非利用に対する報復措置ではないかと思う。

八月二十七日（金）　晴

今日の「戦闘」はＫＯＫの初勝利

陽化《ヤンファ》港の税関は全く手に負えない。今日も入国者の鞄を開けようと必死になっていた。我々ＫＯＫ代表がこれを見つけ議定書通りに実施するように要求すると、ＫＥＤＯ職員以外は外交特権が認められていないので、理由の如何を問わず手荷物を開けて税関検査をすることができると言いつつ、我々の業務のじゃまをするなと真っ赤になって怒る始末。また、エックス線検査機が故障になったと言ってみたり、何かはじめからたくらんでいる様子がうかがえた。趙《チョ》代表がこれに負けず大声で反論する場面もあった。結局先方の内部会議の後、我が方の主張する方法（手荷物の開梱検査は相当な理由があるときのみＫＯＫ立ち会いの下で行う）に従うこととなり、七人の来訪者は無事入国。今日の『戦闘』は初めてＫＯＫの勝利で終わり大変気分が良かった。他の国では税関当局にこのような干渉はできないような気もする。

八月二十八日（土）　晴

GBのサイト視察

　GBから鄭仁鉄《ジョンインチョル》副局長等がサイト視察にやってきた。二十四日に翌日見たいとして通報があったが、来客の関係で二十七日以降に延期していたものだ。建設サイト及び住居地域を視察の後、来訪者宿舎にてコーヒーを飲みながら、双方の関心事項につき一時間弱にわたり意見交換をした。KOKからは、松の木の伐採をやめること、屋外放送の音量を減らすことを申し入れた。韓電建設本部からは本部長が金剛山《クムガンサン》観光船の緊急物資輸送への活用の可能性を提案するとともに、爆発物除去作業の早期開始、北側労働者三十から五十名の早期補充を強く要請した。GB側からは本格的工事がいつ始まるのかに関心があり、具体的な工程を知りたいとの希望が述べられたが、我が方より実質的に本格的工事は始まっているし、工程通報の可否はNYと相談してみる旨説明。北側労働者の確保が難しく、これ以上の手当は困難な様子。さらに爆発物は来週に探査作業を始めるとのこと。最後は、北側労働者の制服から施工企業団のマークを取ってほしいとの要求まで出る始末。

　今回突然GBがサイトを視察したのは、中央政府が本件事業について見直し（中止？）を検討しているからではないかと推察される。私にも日本はいつ金を出すのかとの質問をしてきた。いろいろと熱心に聞いてメモを取っているところを見ると、何か平壌に報告しなければならないことがあったようだ。

第六章　一九九九年　秋

九月三日（金）晴

女子マラソン優勝＝国民の祝日

先日、世界陸上競技選手権セビリア大会の女子マラソンで北朝鮮の選手が優勝（三秒差で日本の市橋有里選手が準優勝）し、明日その祝賀行事が全国的に行われるとのこと。サイト内の北側労働者も午後から休むことになるらしい。ニューヨークタイムス紙にも全面広告が載ったようだ。これもすべて偉大なる将軍様のお陰ということか、何も祝日扱いにまでしなくてもいいと思うのだが……。

九月九日（木）晴

稲穂たわわ

南大川《ナムデチョン》付近の平野では稲がたわわに実っており、もうじき収穫の時期を迎える。台風、旱魃の被害もなく、今年は間違いなく豊作であることが確認できた。

トラクターに乗ってどこへ行く？

今日は、北朝鮮の五十一回目の建国記念日で北側労働者のみの休日となった。朝、祝賀行事のためだろうか、大勢の人がトラクターに乗って江上里《カンサンリ》の方に向かっていた。

九月十七日（金）　晴

もう少しましな嘘はつけないものか

　GBより、サイトからの高級実務者会合出席のため香山《ヒャンサン》へ出張する者は、平壌《ピョンヤン》で宿泊せず直行するようにとの回答があった。表向きの理由は朝鮮労働党創建記念日（十月十日）に来訪客が多いから（ホテルの部屋が空いていない？）というもの。もう少しましな嘘がつけないのかと思うのだが、平壌に立ち寄ることがどうしていけないのか理解できない。北側にとっても配車や案内員張りつけ等で便利なはずだと思うのだが。

（九月二十七日から十月十六日まで北朝鮮国内及びNY出張等のため十五日間サイトを離れる）

十月十七日（日）　晴

有意義なNY出張

　今回のNY出張では、初めてKEDO総会及び理事会を傍聴することができ大変有益であった。特に総会開会式の場で名前を呼ばれて紹介されたのは身に余る光栄であった。昼食を持ち込んで話し合いをする「ブラウンバッグランチ」で私が現地の事情について発表する場も設けられ、参加者と質疑応答をする機会が与えられたこともありがたく有意義であった。

アンダーソン事務局長、金政策部長をはじめ事務局職員数名、及び日本外務省からY北東アジア課企画官、I同課補佐、欧州連合のトリコット代表委員などが出席してくれ、中身のある議論ができたと思う。

そして、突然共同通信社のインタビューを受けることになり、これが記事となって配信。後日高知新聞に掲載されたのは予想外の出来事であった。この他に、朝鮮問題に関心を寄せている日本人記者（福島氏）と夕食を共にしながらゆっくり話ができた。

厚遇
帰任時の宣徳《ソンドク》空港では（エックス線装置が故障していたこともあるが）、私の手荷物は一切検査されなかった。（いつも文句を言う奴だということで）顔が売れてきたせいか、初めての「特別待遇」にうれしさがこみ上げてきた。

十月二十八日（木）　雨のち曇り

新しい執務室
明日から事務所改造工事が始まる。広さは前とほとんど同じ（若干広い）だが、窓と壁の二カ所にエックス字模様の梁《はり》が設置されるので、きれいさでは前の執務室に劣る。窓は北向きで日当たりも良くないが、暖房がよく効くのでそれほど問題はなさそうだ。窓からは遠く山が展望でき景色は前より良くなる。また、入り口から一番遠いところにあるのも一段と偉くなるようでうれしい。

賄賂？

バージ船で送られてくる資機材は大型で、かつ量が多いので陽化港《ヤンファ》に留め置かず、いったんサイトに持ち込み、北側税関職員の立ち会いの下開梱しパッキングリストと照合して通関している。そのため時間もかかり一日では終わらないことも多い。そのような事情もあり、北側税関職員にサイト内で昼食をごちそうしたり、ソフトドリンクを提供したりしていたそうだが、その現場を北側一般労働者に見られ、これが「総和」時間（主体思想を学習する時間ではあるが、他人の言動を非難する機会でもある）に「告発」されたとのこと。それ以来 税関職員はサイト内では食事の接待を受けなくなった。理由も「食事を抜く日」（一週間に一食は食べてはいけないことになっている由）だからそうだ。これでは人間同士の自然で温かい交流ができないではないか。

十月二十九日（金）　晴

KOK事務所改造工事

事務所の間仕切り改造工事は、建築資材の通関が遅れたため、やっと明日から工事が始まる。各執務室の広さは、代表が六メートル×六メートル、職員等が四・七メートル×二・八メートル、会議室が三・八メートル×四・三メートル、給湯室が三・八メートル×一・七メートルとなる。

十一月十六日（火）　晴

原子力安全専門家会議代表団の試練

GBからの連絡では、本日来訪する代表団等は荷物が多く北京出発が遅れ、午後二時三十分（当国時間）に出発、サイト着は午前零時を過ぎるだろうとのこと。さらに、代表団用にゲストハウスに部屋を用意してあるので泊まってもらいたいとのこと。これについては丁重にお断りしたが、何とかして泊まってもらいたいのか、夜遅いからとか準備を万端整えているからとか、いろいろ粘っていた。

十一月十七日（水）　晴

通訳の能力

今回の会議は双方が大きく対立することなく順調にいった。議題の討議順序についても北側が譲歩し、ＫＥＤＯ側の提案どおりにすることとなった。我が方には、先方通訳の能力に若干不満が漏れていたが、会議進行上大きな問題にはならなかった。

我も我もの大撮影会

原子力安全専門家会議ＫＥＤＯ側代表団の中には、「北の女性と一緒に写真を撮りたい」という希望者が多く、二次会でゲストハウスのバーに集まった人たちは別れ際に我も我もと大変だった。日本人グループもその例に漏れず、ちゃっかりと写真に収まっていた。

十一月十八日（木）　晴

夕食会のメニュー

ＫＥＤＯ主催夕食会のメニュー（価格）をめぐってひと騒動が起きた。（ＧＢがＫＥＤＯ主催の夕食会のメニューにまで干渉してくるのは納得がいかないが）当初ＫＯＫが決めていたメニューをＧＢ側で一方的に変え、当初予算の二倍以上でやることにしてしまったからである。ＧＢ側の主張は、メニューの変更についてはＫＥＤＯ代表団から了承を得ている、双方が同じレベルの食事内容で晩餐会を開くことが慣例だというもの。これに対し、我が方から三日前に注文したメニューを勝手に変更することは受け入れられないとして、これを取り消し、サイト内の食堂で開催したいと申し入れた。GB側の周玄哲《チュヒョンチョル》保衛部駐在代表は、サイトでの開催は絶対に受け入れられないし、安っぽい料理で夕食会を開くのであれば北側からは誰も出席しない旨反論。

また、作った料理はKEDO側に渡すので原価を支払うよう要求。結局、崔《チェ》副代表が中に入りNYからの予算限度（三十ドル）内で収めてくれればメニューについてはGB側に任せるということで譲歩した。これがもめた背景は、GB側主催夕食会の費用については、KEDOが払う夕食会の費用でまかなう（自分たちは一銭も負担しない）ということでやりくりしているらしく、KEDO側の支払額があまりにも低い場合（四十ドル以下）はそれができなくなるという事情のためらしい。他の地域（香山《ヒャンサン》）で会議が行われる場合は、KEDO側もこの事情を承知しつつ目をつむっているため、ほぼ慣例化しているようだ。琴湖《クムホ》では、KOKがあるのでそのような慣例が通用しないということだ。しかし、本事業が経済協力の一環であるとすれば、当地でも融通を利かせてやりたいような気もする。

ロシア語

夕食会の席で隣り合わせた東海原子力発電所の尹《ユン》技師は、金策《キムチェク》工業総合大学出身で英語は苦手だがロシア語は得意だといって、向こう隣のS部員にロシア語を教えていた。夫人は薬剤師をしているとか。エリート技師という印象を受けた。

酒席での言動に気をつけよう

　ＧＢと夕食を共にする機会があり、そこでいろいろな話が交わされたが、その中で去る十一月七日に玉流館《オンニュウグァン》で小さないざこざがあったことが発覚した。何でも新しく来た韓国人労働者（韓建所属、四十六歳）が従業員の態度が気に食わなかったらしく「金正日《キムジョンイル》に言いつけてやる」と暴言（？）を吐いたそうだ。これは元首の冒瀆《ぼうとく》に当たるというのがＧＢ側の主張。

　ＫＯＫでは文《ムン》代表がこの件を本人から事情聴取したところ事実であることが判明。しかし、ＧＢもこれを正式に取り上げるつもりもなく、我が方も労働者に十分注意をしていくことで本人から始末書をとって内々に収めることとした。

（十二月四日から翌年一月十一日まで休暇のため三十九日間サイトを離れる）

第七章　二〇〇〇年　冬

二〇〇〇年一月十二日（水） 晴（積雪あり）のち雪

カラオケちょっと高くない？

今般平壌で初めて外出が許され、案内員に「蒼光《チャングアン》カラオケ」に連れていってもらった。美人ウェイトレスが優しく迎えてくれたが、雰囲気は今一つ盛り上がらなかった。同カラオケを経営している成《ソン》興《フン》商事株式会社の任弘吉《イムホンチョル》社長によれば、KEDOの事業を当て込んでこの商売を始めたが、お客の入りが良くなく、経営がうまくいっていないとのこと。そのせいかあまり飲みもしないのに三百十三ドルも請求されたのには「かなり高いな」と思った。

認められつつある「日本代表」

今回私を迎える韓電建設本部や施工企業団の態度には驚いた。施工企業団からはC所長以下部長以上が宣徳《ソンドク》空港からのバスが到着する正門で（午前一時なのに）私を迎えてくれた。韓電建設本部は、翌朝一番に孫《ソン》本部長をはじめ幹部全員（部長以上）が私の執務室に帰任を歓迎する挨拶をしに来た。「日本代表」もサイトで少しずつ認められつつあるということか。最初の赴任時はこちらから挨拶に行ったものだが……。

一月二十四日（月） 雪

キャンディ事件

昨日午前十一時四十分ごろ通信所前の橋のあたりで我が方の車輛二台から（犬に向けて？）飴（キャンディ）が撒かれたとしてＧＢより抗議の電話があった。「犯人」については、施工企業団関係者と思われるので早速調査することになった。おそらく「犯人」は子供に向けて飴を投げたのだろうが、ＧＢはそれを承知で、あくまでも「犬に向けて」と言っていることに複雑な気持ちになった。

一月二十九日（木）　晴

孫《ソン》本部長の転勤

孫《ソン》韓電建設本部長は昨日付けで正式に転勤発令になった。今度は火力発電関係の職場らしい。後任は予想どおり本社ＫＥＤＯ原電事業処の李《イ》副処長（理事相当）で、処長（常務相当）に昇格して二月十二日に着任する予定。

一月三十日（日）　晴

気になる彼女の「すみません」

玉流館《オンニュウグァン》のホステスが交替してから「若干サービスが向上したのかな」と感じるようになった。料理を出すときどんなものなのかを説明してくれたり、歌も三曲披露してくれた（従来は一曲のみ）。新人は福順《ポクスン》と正順《ジョンスン》という二人の女性で、チマチョゴリを着てかいがいしく奉仕してくれた。正順《ジョンスン》の方は日本語ができるようだ。ただ、初めて会うはずなのだが、なぜか（日本人だと知っていたのか）私に「すみません」と日本語で答えたのには驚いた。彼女の背景が気になる。

二月二日（水） 晴

新しい公用車

新しくＫＯＫ公用車に仲間入りした韓国製ソナタ（セダン）は、通関からわずか三日で車両運行に必要なすべての手続き（車両登録、自動車損害賠償保険加入）が終わり、本日午後から公道を走れるようになった。当面趙《チョ》代表が使うようだ。私には前から韓国製アバンテ（セダン）が貸与されているので、新車の割り当ては期待していないしそのつもりもない。なお、年間保険料は四百四十ドルであった。これは、スペンス米国代表が六十歳を超えているため一割増し料金になった。

二月五日（土） 晴

韓国大統領からの電話

十一時二十分に金大中《キムデジュン》韓国大統領から激励電話がかかってきた。もちろん事前に知らされていたことだが、サイトの韓国人を代表して孫《ソン》韓電建設本部長がこれを受け、二三分間の対話があったとのこと。その内容が食堂に張り出されたところ、次のとおり。

「旧正月にふるさとにも帰れず、皆さんが国のためがんばってくれ本当にありがとう。働く上で苦労が多いだろうに……皆さんお元気でしょうか。

北朝鮮の労働者と一緒に仕事をしていると承知していますが、北の労働者と互いに仲良くして過ごすよう願います。

困難な環境の中で軽水炉事業が韓半島の平和と安定のためにどれほど重要かということは皆さんもご存じだと思います。その点では皆さんの仕事は真に民族全体のため、我々大韓民国のために大変重要なことですので、皆さんが使命感を持ち熱心に働いてくれるよう望みます。

政府としても常に皆さんのことに関心を持って、皆さんの仕事が順調にいくように、また、現地での健康やあらゆる面で安全が維持されるように、政府もいろいろ関心を持っています。

皆さんも故郷に家族を残して、そちら（サイト）で多くの苦労があると推察しますが、大変ありがたく思っており、慰労の言葉をお伝えしたい。ともかく一生懸命国のためにがんばってください。

そちらにいるすべての従業員の皆さんに新年のご挨拶と皆さんが元気で活躍されるようにとお伝えください。

皆さんがんばってください。

新年おめでとうございます。」

二月十日（木）　晴

チャーター料金

北側とチャーター料金交渉の韓電建設本部側のシナリオができ、その内容につき説明があった。それによると、まず、九・四パーセントアップでがんばり、次に十五パーセントアップか、標準人員（二十名）超過分は追加的に支払うという案を出し、それでも駄目なら二十二パーセントアップ（千五百四十ドル）まで譲歩することとなっている。大幅な引き上げは他の料金（すでに自動車保険料の大幅値上げの噂がある）への影響が心配だ。

二月十一日（金）　晴

高級実務者会合

高級実務者会合代表団の名簿が送られてきたが、その規模が縮小されていないのに驚いた。前回と全く同じだ。ＫＯＫからの提言が生かされていないし、わざわざ遠慮してＫＯＫからの参加者を一名に絞ったことがむなしく思える。過去三回のハイレベル実務者会合代表団の規模を組織別・国籍別に

開催時期	総人員		韓国	日本	米国	EU	小計
99年2月	40	KEDO	6	4	3	1	14
		理事国	10	2	1	1	14
		契約者	12	0	0	0	12
		小計	28	6	4	2	
99年9月	35	KEDO	7	4	4	1	16
		理事国	6	2	1	1	10
		契約者	9	0	0	0	9
		小計	22	6	5	2	
00年2月	35	KEDO	8	4	4	2	18
		理事国	4	3	1	1	9
		契約者	7	0	1	0	8
		小計	19	7	6	3	

比較してみると次のとおり。

アコーディオン

本日の宴会では、ゲストハウスの企業努力が感じられた。ウェイトレスが歌を五、六曲（うち一曲は私と歌った『アリラン』）を披露してくれた（いつもは三曲まで）し、おまけに赤いツーピースの洋服を着た（他の三人はチマチョゴリ）若い女性のアコーディオン奏者も登場させるがんばりようだ。料理も玉流館《オンニュウグアン》よりはおいしかった。

二月十七日（木）　晴

「KEDO警備隊」を提案

本日開かれた三者連絡会議の話題は次のとおり。

・次回のバージ船は三月二日に陽化《ヤンファ》港に入港する予定。

・「秩序維持隊」が二十九日にサイトに到着するが、労働者の間では自分らが何か騒動でも起こすように見られているような気がするとして、その韓国語による呼称の変更を希望している。英語名はそのままにしても、韓国語では、たとえば「ＫＥＤＯ警備隊」とか呼ぶことにしてはどうか（孫《ソン》本部長）。

これに伴い、現在の警備員は最近赴任した者を除き全員が帰国する。資格不十分のためサイトで再就職できなかったのは、かわいそうであった（ジョーン代表）。

また、本件に関し韓国の新聞等で報道されているが、北側に警察の導入との誤解を与えかねないので、これ以上報道されないよう軽水炉事業企画団に伝えておくべきではないか。

（同企画団側より報道機関に発表している）

・南大川《ナムデチョン》の貯水池壁枠は、初日に二つ、昨日六つを埋め込んだ。梅雨の始まる前に全部（千六百二十八個）を埋め込んで完工したい。川をせき止めるダムにしなかったのは、こちらの方がコストが安いからである。

二月二十一日（月）　晴

韓国語のみでの会議

やっと寒さが和らいできた。サイト内の工事も活気が見られるようになった。

ジョーン米国代表がいないため韓国語のみでの会議が行われ、以下のことが韓電建設本部李《イ》新本部長より報告された。

・本日より建設サイトと住居地域を結ぶ道路拡幅工事及び配電線設置工事を本格化する。道路建設の邪魔になる松は伐採することでGBからの了解も得られた。歩行者を保護するため可能な限りガードレールを設置する。

・治安維持隊の宿舎は五〇七棟に確保した。一室に二人ずつ入れ、一区分六人となる。隊長の待遇については検討中。エリート意識を持っている治安維持隊と一般労働者間の摩擦が憂慮される。現警備員は十三人中八人が三月三日に帰国する。

・韓国人労働者のストレス解消方法については、韓電建設本部休暇組に宿題を出しておいた。とりあえず、タップダンスゲーム機を数台（枚）導入することとした。

二人一室

サイトで働く一般労働者の宿舎は、二人一室（バス、トイレ共用）が原則となっている。現在、一区分（三室）に六人が暮らしており、やや詰め込みすぎではと感じていたが、これはアパートが増えれば解消されるものでもないらしい。事務職は部長以上が一人一区分、課長以上が一人一室（バス、トイレ付き）、一般職員が一人一室（バス、トイレ共用）となっているから、結構差が目立つ。これは韓国の慣例で、本格的工事にも合致しているとのこと。将来はすべて一人一区分とするような話もあったが、コスト面から実現は困難なようだ。

プロテスタント教会の日曜礼拝

プロテスタント教会の信者が急増している。日曜礼拝時には、六十人以上が集まり これ以上増えれば教会に入りきれない。そこで、教会を二倍に広げよう（コンテナをもう一つ増設）という話が出ている。ただ、他の宗教（カトリック及び仏教）の方は信者が特に増えておらず、施設上の問題はない模様だ。特定の宗派だけの施設拡充は、他の宗派との合意を得て進めなければならないだろう。私から、本格的施設建設まで礼拝を二部に分けたらどうかと聞いてみたところ、礼拝できる時間（午前八時半または夜七時半）が限られているため、好ましくないとの反応であった。

二月二十二日（火）　晴

酒とカラオケのひそひそ雑談

午後、韓電建設本部の李《イ》新本部長が文《ムン》代表の部屋にぶらりとやってきたので、私と崔《チェ》副代表を交えて四人で雑談をすることとなった。同本部長が関心を持って話していた点は次のとおり。

・労働者側の希望を聞いたところ、思い切り酒が飲め、歌が歌える場所がほしいという者が多かった。四月にカラオケ施設が完成すれば、一応その期待に応えられることとなろうが、管理職と労務職が席を一緒にするということは韓国の風土になじまないので、幹部クラス用のカラオケ施設を別途作ることとした。その方が双方にとって気が楽だ。

・厚生棟内に開業するカラオケ等の娯楽施設は、一つの会社にその運営を任せる予定であるが、居酒屋に南から女性を連れてくることには慎重にならざるを得ない。パチンコのような韓国人になじみの薄い娯楽施設は、労働者が有料で遊ぶとは思えないので、ビリヤードのように労働者階級に親しまれているものを考えている。

・理髪店は、北側施設の利用が望ましいと思うが、その料金水準（六ドル）は高すぎるので値下げ交渉をしたい。玉流館《オンニュウグァン》やゲストハウスも顧客の要望によって少しずつ変わりつつあり、値段も下げるようになったという前例がある。

・ゲストハウスのサウナは、鄭《ジョン》前ＧＢ副局長がその当時宿泊していた韓国人から聞いた話を真に受けて、十万ドルを投じて作ったものだが、現在ほとんど利用者がおらず失敗例だ。北側も、バーにはホステスがきれいで優しくないとお客が入らないということが少しずつわかり始めてきた。

たらこの配給

李《イ》本部長によれば、金正日《キムジョンイル》の誕生日（二月十六日）には、十種類ぐらいの「下賜品」が住民に配られた由。中でも生のたらこが多く配られたらしい。また、菓子類は子供のいる家庭だけに配給されたとか。

二月二十六日（土）　晴

香山《ヒャンサン》は地獄？

ジョーン代表ら高級実務者会合参加者六名がサイトに無事帰還した。北京から来る高麗《コリョ》航空の機体故障で施工企業団の新規入国組が出発時間までに平壌《ピョンヤン》に来れなくなったため、国内出張組ももう一晩高麗ホテルで泊まらされるところだったが、「楽園」への帰還を要望する熱意と抗議が功を奏し、六人だけでチャーター機が飛んでくれたとのこと。それにしても、平壌発の代表団が無事北京にたどり着けたのは不幸中の幸いであった。

高級実務者会合が開催された香山《ヒャンサン》ホテルは、暖房が十分でなく、お湯は全く出なかったとのこと。かじかんだ手で朝食をやっと食べたとか、冷たい水で髪を洗ったとか大変だったようだ。ご苦労様としか言えない。次回からは、琴湖《クムホ》で開催することを考えたらどうだろう。

二月二十九日（火）　晴

撮影されたら魂が抜かれる？

北側労働者は自分らが写真に撮られることに強く反発している。そこで工事の進捗状況を撮影する場合には、KOK代表が同行し写真撮影をすることになっている。今回文《ムン》代表と公式カメラマンに同行したが、特に問題は起こらなかった。しかし、発電施設建設現場では北側労働者の退去が遅れたため人物も一緒に撮ってしまった。若干気まずい雰囲気にはなったものの、北側から特に具体的な抗議行動がなかったのでほっとした。

「警備隊」の監督責任者

「警備隊」の監督責任者（ＫＯＫ窓口）は、結局文《ムン》代表が譲歩する形で崔《チェ》副代表となった。同副代表より明日の教育内容についての説明があった。その中で、「威厳を保つためＫＯＫ関係者以外との個人的なつきあいはなるべく避けるように」という指示と、敬礼は警備隊員側から行うべしとする指導には納得がいかなかったので、反論した。が、結局聞き入れられるところとならなかった。

治安維持の目的を達成するためには、個人的に人を知ることが役立つとの卑見《ひけん》に対し、親密になると無理が通るようになるという韓国的悪弊をなくすためには仕方がないとの回答。また、敬礼は軍人文化でサイトではふさわしくないとの反論には、韓国ではすでに一般的な挨拶として通用しているのでかまわないとの説明。

赤いスプレー落書き事件

午後五時ごろ住居地域アパート建設現場で北の労働者二人が軽トラックに書かれていた「現代《ヒョンデ》」のロゴを赤いスプレーで見えなくなるようにするという事件が発生。李《イ》本部長が慌てて駆けつけてきて、退庁しようとする我々を引き留めた。背景等は調査中だが、上層部の指示によるものではなさそうだ。

ゲストハウスで楽しい夜を

今回の軽水炉事業企画団からの出張者は全員北朝鮮を初めて訪問するとのことで、特別に（？）ゲストハウスで一泊するようにアレンジした。バーでKOKの簡単な歓迎カクテルの後、それぞれ暖かい（はずの）部屋に戻ったが、寒くて一睡もできない人もいたようだ。原因は、琴湖《クムホ》までに乗車したバスに暖房が入っていなかったせいで、道中に冷え切った体が緩やかな暖房では十分温まらなかったとか。某部員に言わせれば、それでも香山《ヒャンサン》ホテルに比べれば「天国」らしい。

第八章　二〇〇〇年　春

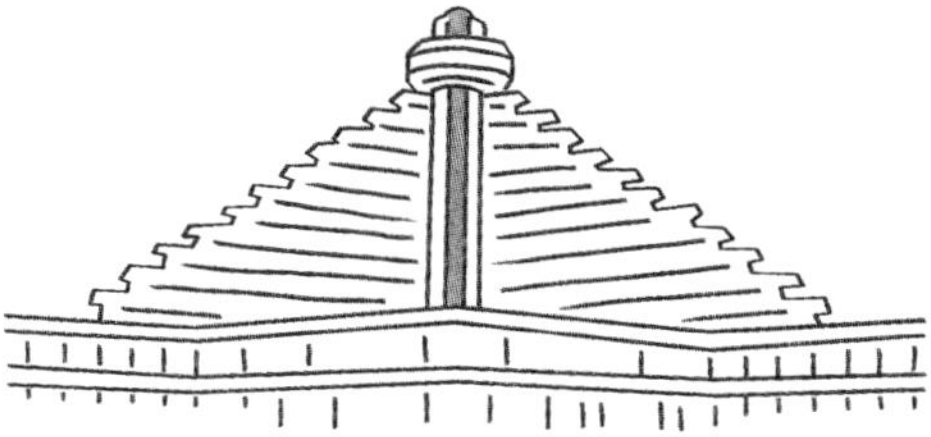

三月一日（水）　晴

「軍隊」派遣

秩序維持隊（軽水炉事業企画団の建議に基づくKEDOの指示で突然警備隊〈セキュリティガード〉に名称変更）の結団式には、軍隊を思わせるような行動が目に付いた。角帽をかぶった隊員たちの一糸乱れぬ行動に、気合いの入った敬礼、号令（「団結！」）に私は圧倒されてしまった。趙《チョ》代表の挨拶に続いて、KOK、韓電建設本部、施工企業団、出張者等の紹介があり、全員が全隊員と握手をして式は終わった。頼もしい存在のようでもあり、指揮命令を間違えれば怖い存在にもなるような印象を受けた。また、北側の反応も気になる。

物腰の柔らかい隊長

孫警備隊隊長は、海兵隊出身の元軍人だが、物腰の柔らかい人だ。KOKとの打ち合わせでは特に何かを要望するわけでもなく、KOKのどんな命令でも従うという姿勢を印象づけていた。せめての要望は、宿舎は自分一人だけで住みたいとのこと。部下と一緒に暮らすことは指揮命令に支障が出るからというのがその理由。当面四カ月間は一人で住めるが、その後は共同入居となっているのが現在の計画だ。

チャーター機申請却下

高麗《コリョ》航空より三月六日、宣徳《ソンドク》発チャーター機の申請が却下された。理由は、申請書の提出が遅れたため（サービス契約書には十日前提出となっている）。そのため、小官の休暇日程が変更になり若干計画がくるってしまった。

このようなことになった背景には、これまで韓電建設本部が期日を守らなくても北側が便宜を図ってくれていたのでそれに甘えていたためだ。晩の酒席で本部長自ら謝罪に来たので、「何とかなるだろう式」の仕事のやり方（姿勢）に問題がある旨指摘しておいた。幸い三月三日のチャーター便に席の余裕があったので、三十一人の出国予定者はそれに変更する人もいれば、一週間遅れの新設便にする者もいて大きな混乱にはならなかった。

三月二日（木）　晴

謝罪攻勢は良い傾向か？

韓電建設本部は、今回のチャーター機申請却下事件の責任を感じてか、あるいは私に気を使ってか、本部長、行政部長、担当者が入れ替わり謝りに来た。昼食の席でも「今後は原則を徹底的に守っていく」と述べつつ、如何に反省しているかを我々に訴えていた。

表面的なものだけかもしれないが、私も長くいることでその意見が尊重される存在になっていくような気がする。

（三月四日から二十一日まで休暇のため十八日間サイトを離れる）

三月二十二日（水）　晴

北京からの直行便

昨日のチャーター機は北京から宣徳《ソンドク》への直行便となった。総勢七十一名が一緒にサイトへ向かうということで、認められたようだ。比較的新しい機種（ＴＵ・一三四）で座席の前後が広く、かつ北京から一時間四十分で着いたので時間も節約できた。実際は午後二時五十分（中国時間）に北京発午後五時三十分に宣徳《ソンドク》空港に着陸、入国手続きを済ませ途中新興山《シンフンサン》ホテルで夕食をとり、その後いつもの海月亭《ヘウォルジョン》での休憩がなく、何でもないところで用を足す羽目になったが、これには特に理由があったとは思えない。単に時間節約のためではなかったのかと思われる。特に問題は起こらず、サイトに午前零時少し前に到着した。

三月二十三日（木）　晴

「警備隊」のパトロール

警備隊がサイトを巡回するパトロール車に特別な標示をするかどうかについても、議論になったが、現在の北との険悪な雰囲気を考慮して、当面は「ＫＥＤＯ」のステッカーのみを貼ることにした。ＧＢとの合意がないと新しい標示はできないと思われるからだ。以前に何の標示もない車が北側住民に「密告」され、ＧＢから至急所定のステッカーに戻すよう指摘を受けた経緯もある。

ふっかけられたチャーター料金

・（韓電建設本部）チャーター機（入国便）が北側の事情（「太陽節」による来訪者の輸送で航空機が不足）でキャンセルされ、三月二十九日の北京・宣徳《ソンドク》直行便一便のみに変更。

・（ＫＯＫ）四月一日より労働者の段階的撤退を実施する旨、我が方に「適切かつ迅速な対応措置をとるように」とのＧＢから通報があった。これに対し、韓電建設本部より、韓国人労働者で穴埋めしたいのでＫＥＤＯの承認を得たい旨発言があった。

・（韓電建設本部）航空機チャーター料金の引き上げ交渉は、とりあえずソ連製アントノフ二十四機基準（三十五人乗り）で一回あたり千四百五十ドルとすることで決着した。但し、今後の年間引き上げ幅（我が方：二・五パーセント、先方：五・〇パーセント）やヘリコプター料金については未だ合意に達していない。

GB副局長帰任と不穏な動き

以前GBにいた金澤龍《キムテギョン》副局長（社会安全部所属）が、また琴湖《クムホ》に戻ってきたらしい。何人かが目撃したとのこと。但し、なぜ、何の目的で戻ってきたのかは不明。ひょっとしたら、北側労働者の間で不穏な動きが現れたので、これを未然に防ぐためなのかもしれない。

南北が統一されたら

テニスの後、韓電建設本部環境管理課L課長、K部員を自宅に招き、三人でビールを飲みながら南北統一につき議論。L課長は、元Fテレビソウル支局長が『月刊朝鮮』（朝鮮日報社）で発表した「統一朝鮮が日本を侵攻するシナリオ」という論文にいたく感銘を受けたようで、北が南北を統一したら次は日本に攻めていくかもしれないので、北との関係を早く正常化しておくべきだと強調。K部員は、「そんなことになるのなら日本は北への支援をやめるべきだ」と反論。私は、そうならないよう韓国にがんばってほしいとの意見を述べたが、L課長は反日感情は国の生存のため必要であるとして一歩も譲らなかった。

三月二十四日（金）　晴

労働者撤退

琴湖《クムホ》貿易会社より施工企業団に対して文書で北側労働者の一部三十二人を四月一日より撤退するという通報があった。その影響につき韓電建設本部に検討させたところ、約十五パーセントの遅延が生じるとの試算であった。その内訳は次のとおり。

・整地工事：バックフォー運転手一名、ダンプ運転手三名がいなくなり十五パーセントの遅延。これはちょうど七組の仕事チームのうちの一組が抜ける状態。北側が撤退順序を慎重に検討したことがうかがえる。

・道路工事：二十五名のうち七名が抜ける計算で二十パーセントの遅延。

・アパート建設工事：五十四名のうち十一名（内一名は左官工）が抜け七パーセントの遅延。

・配水管工事：八名のうち二名が抜け五パーセントの遅延。

・発電施設建設工事：現在直接的な影響はなし。今後の撤収如何では数カ月間の遅延が予想される。

・防波堤建設工事：追加労働者の提供がない場合には、四月着工が困難になる。

三月二十七日（木）　晴

GBとの会議（経緯）

先週金曜日の夕方、GBより電話で会議開催要請があり、それを受けて本日十一時より一時間三十分間の話し合いを持った。KOKからの出席者は文《ムン》代表と私のみ。これはGBが鄭《ジョン》副局長ということから我が方も「これにレベルを合わせるべし」と趙《チョ》代表が主張したため。また、ジョーン代表もこれに同意し警棒問題で北の主張を聞きたくないこともあって出席しなかった。会議後、北側外務省代表より米国代表が出席しなかったことについて不満が述べられた。曰く「杉山さんは出席しなくてもいいが、ジョーン氏が出席しないのは困る。今後もこのようなことが起これば問題にする」。

GBとの会議（内容）

・警棒の通関

（GB）警棒は議定書に制限品目（凶器）として規定されており通関できない。

（KOK）自己保身用のおもちゃのようなものであり武器とはいえない。一九九七年度に十五本通関が許可された前例もある。

（GB）身辺には何の危険もない。前回は指示棒として理解していた。住民感情の問題もある。

（KOK）警棒は北側を対象とするものではない。議定書には禁制品中に凶器は入っていない。双方がそれぞれの主張を理解してこれ以上の議論はやめよう。

・山火事の撮影

（GB）三月二十一日に発生した玉流館《オンニュウグァン》裏山の山火事をデジタルカメラで撮影した総合電気職員のJについて、同人は先に六十倍のビデオカメラを持ち込もうとしたこともあり、不純分子と見られるので可能な限り早く本国に送還してほしい。

（ＫＯＫ）事実を確認の上回答する。

（ＧＢ）遅くても四月初めのバージ船で送還するよう強く申し入れる。
・税関手続き
（ＧＢ）税関への搬入申告は正確に行ってほしい。今後申告リストにないものが混ざっていれば押収することもあり得る。

（ＫＯＫ）税関検査が威圧的に実施されないようお願いする。
・犬の送還
（ＧＢ）サイト内で飼っている犬が住民等に被害を与えているので早急に送還してほしい。当面六匹が送還されると承知しているが、残りの犬も全部送り返してほしい。

（ＫＯＫ）サイト内でペットを飼うことにつき北側から文句を言われる筋合いはないが、とりあえず六匹を送ることとした。
・労働者の撤収
（ＫＯＫ）北側は労働者を段階的に撤収する予定と聞いているが、我が方の工程管理上その計画を事前に承知したい。

（ＧＢ）近日中に全体計画を文書で通報する。ＫＥＤＯ側に賃金問題の解決策はあるのか。

（ＫＯＫ）北側労働者の不足で工事の進捗に大きな支障をきたしている。

犬の引っ越し先

ＫＯＫより北側施設等の写真撮影の事例について説明し、ＫＥＤＯ行動規則にも違反することを強調し韓電建設本部・施工企業団に二度とこのようなことが起こらないように要請した。

韓電建設本部より、チャーター機料金が四月より千四百五十ドルに値上げされること、サイトに残る犬は飼育場所を正門横から住居地内に移すことを検討中との報告があった。

三月二十九日（水）　晴

タクシー料金引き上げ

金《キム》職員の帰任とスペンス米国代表のサイト入りに適当なチャーター便がなく、平壌からタクシーを利用したいとしてＧＢ側に要請。先方は、平壌のタクシー会社から、「往復の料金を出さなければ提供できない」と言われたので、これまで二百二十ドルを払っていたものを一気に四百八十ドルに引き上げると通報してきた。韓電建設本部・施工企業団にも相談したところ、タクシー料金はすでに契約できちんと決まっているので、ＫＯＫがその額（二百ドル）より多く払う必要はないし、そうすると現在の契約条件にも影響を与えるとのことであり、これに応じられない旨ＧＢに返答。するとＧＢは料金を一気に下げ、これまでの料金（先方は二百三十ドルと理解）に五十ドルを上乗せしてほしいと下りてきた。

私は妥当な額と思ってこれに応じようと提案したが、他の車両借料の前例になりかねないとの韓電建設本部からの強い反対があり、前例としない条件でかつ十五パーセント程度の値上げにとどめるべきだとの意見が大勢を占め、結局二百五十ドルで手を打つこととなった。交渉窓口の文《ムン》代表がGBを何とか説得してやっと妥結の運びとなった。我々には対抗手段がほとんどなく、交渉には弱い立場にあるということを改めて認識した。

四月八日（土）　晴

KEDO次長の来訪

今般の日韓両次長の突然のサイト訪問の目的が現場視察であることを同行した団員から聞き驚いた。てっきり労賃問題解決のための非公式交渉だと思っていたからだ。我が方とGB主催の二つの夕食会を準備していたが、NYの意向も聞かずに勝手にアレンジするなと叱られてしまった。幸い準備段階でGB側と具体的に協議をしたわけでなく、昨日GBから夕食会の提案があっただけで、KOKの信頼をなくすようなことではなかったこともあり、GB主催の夕食会を我が方主催としてやることでうまくいった。

ネクタイをしない晩餐会

お互いにネクタイをしないで臨んだ夕食会では、酒はあまり回らず、どちらかというと静かな雰囲気であった。私の右隣には物価局の韓英旭《ハンヨンウク》長が座った。賃金を含む国の物価を実質的に決める立場にある人物だと聞いていたのでいろいろと話しかけてみたが、彼の方からは仕事の話はしなかった。六十歳を超えて四人の子供に三人の孫がいるなどとうれしそうに家族の話をしていたのが印象に残る。

非公式接触に期するもの

ＧＢが招待してくれた夕食会を突然我が方の主催に変え、先方に答礼宴をさせないということで、ＧＢ側の反応が憂慮されたが、意外とこれがすんなりと受け入れられたのには驚いた。金はないけど自尊心は人一倍強い北の国民には珍しいことだと思った。今回の非公式接触に何か期するものがあるのかもしれない。

四月九日（日）　晴

ＧＢとの非公式会議

李明植《リミョンシク》北側代表が言っていることがもし本当だとすれば、北側は前回のハイレベル実務者会合以降、相当真剣に検討してきたことになるが、私は眉唾ものだと思えてしょうがない。建設労働者を提供する北側各企業所は、ＫＥＤＯが払う賃金が低いため破産寸前の状態との説明だが、外国との合弁事業でない場合はもっと賃金が低いはずなのに、そちらは大丈夫なのだろうか疑問に思えてしょうがない。

最初に六百ドルとふっかけておいて後で三百九十ドルに下りるといかにも大きな譲歩をしたようだが、実際には当初に合意した賃金の三倍以上を要求していることになる。

ＫＥＤＯから北側の主張する送電電圧を五百ボルトにすることを呑む代わりに法外な賃金要求を取り下げるように言ったが、電圧の決定は自主権の問題で誰からも干渉されるべきでないとして、これには一歩も妥協する態度を見せなかった。

会議後物価局の韓《ハン》次長と日本人関係者とで立ち話をしたが、教育や住宅に必要な費用をＫＥＤＯが負担するというような提案であれば先方も話し合ってもいいとの態度を見せた。現物支援により賃金上昇を抑えるというのが、案外双方が妥協できる案かもしれない。

展望台

今回のサイト視察のハイライトは、原子炉建設地の隣の丘に造成された展望台であった。そこからの展望は、建設サイトが一望でき、遠くに海や山が見え、すぐ下に紘琴湖《ヒョングムホ》があり、しばし何もかも忘れてしまうような場所であった。展望、休憩施設が完成すれば、琴湖《クムホ》で最高の観光地点となるだろう。

四月十三日（木）　晴

北側労働者の休日と撤退

太陽節（四月十五日、故金日成《キムイルソン》主席の誕生日）が休日であるため、北側労働者は明日の午後から十六日まで休む。それに合わせて七十名が撤退するが、セメントブロックの製造とアスファルトドラム缶の開缶及び使用後の処分については、北側の会社と下請け契約を結んだとのことで、道路舗装工事はほぼ予定どおりに完工する予定だ。何人の労働者を投入するのかわからないが、仕事はやってもらえ、昼食や交通の便を提供しなくてもよいので我が方は楽だ。技術的に問題がないものであれば、今後この方式を増やしていくことも検討に値しよう。

快速艇運航延期

快速艇の試験運行が延期される見込みだ。理由は北側と港湾利用料と出入国手数料をめぐって合意に達しなかったためだ。港湾使用料は、総排水トンを基準にするのか馬力を基準にするのかで合意できず（我が方は総排水トンを主張）、また、出入国手数料も一人あたり十ドル（北側）と一・二ドル（我が方）の差が大きすぎた。韓電建設本部側では、北側が過去二回の前例にならって処理してくれれば、運航ルートについては二時間の遠回りになる旅客船ルートでもやってみようとの考えだったらしい。

四月十四日（金）　晴

ミニマラソン大会

建設サイトと住居地域を結ぶ道路（五・三キロ）の舗装が完成するのを記念して、メーデー（五月一日）にマラソン大会を開催することになった。この日は休日でもあるので、労働者のためにその他のスポーツ大会等が計画されている。韓国式のやり方ではもっと大会期日に近くならないと何も決まらないので、今から準備するのは早すぎるが、ＫＯＫからも寄付金や賞品を用意する必要があるのではないかと思っている。

一つの個人的なアイデアとして考えているのは、マラソン大会をＫＥＤＯ主催として年一回開催したらどうかということだ。本年は道路舗装完成記念として五月に開催するが、来年からはＫＥＤＯ設立記念日（三月九日）前後に行うこととしてはどうだろうか。労働者にＫＥＤＯの一員として働いている実感を与え、広報面からも効果のある行事だと思う。この場合、やはりＫＥＤＯ事務局から贈り物があった方がいいと思う。一案として金銀銅のメダルはどうだろうか。メダルにはＫＥＤＯのエンブレムと大会名を入れればよい。

四月十七日（月）　晴

北の労働者

韓電建設本部からの報告によれば、本日出勤した北側労働者は百二名だったとのこと。北側の計画どおり労働者の撤収が進んでいる。残った者は、ほとんど仕事のない班長や爆破補助員等ばかりらしい。早急に韓国から労働者追加導入してよいとのＮＹの決定が下るように要望している。ＫＯＫも黙っていられないので、北側労働者の撤退で現場にどのような影響が出るのかについてまとめて報告することとなった。

また、撤収した北側労働者に貸与していたヘルメット及び制服はすべて回収したとのこと。これは、制服を着てサイト内に自由に立ち入ることを防止するためである。むしろ、ＫＯＫがこのようなことに先に気づくべきだったと反省。なお、靴は労働者にあげてしまうそうだ。

太陽節

十五日は故金日成《キムイルソン》主席の誕生日で祝日（太陽節）だったが、田舎のせいか当地では特に盛大な行事があるようには見受けられなかった。いつもと比べてきれいな服を着た親子連れが道を歩いている姿を見かけたくらいだ。

みんなで仲良くテニスを！

サイトの人口が一年前の二倍になり、当面電話回線とテニスコートの不足が問題になりつつある。そこで韓電建設本部と施工企業団の管理職が我慢をせざるを得なくなった。「電話もテニスコートも当分の間一般労働者に優先して使用させるように」との掲示が張り出されている。テニスの制限については、私から「現在コートが足りない状況ではないので管理職と労働者相互の疎外感を助長するような掲示はすべきでない」と趙《チョ》代表や韓電建設本部長に苦言を呈したが、身分の違いで一緒にスポーツをしたがらないのが韓国の文化であるとして一蹴された。

テニスについては、私にとって納得のいかない措置である。確かに管理職がテニスをしている時に一般労働者が遠慮して帰ってしまう事例を何度か見てきたが、双方が譲歩することで解決できることではないか。テニスコートがみんなで仲良くプレーする場になればいいなと思う。

四月二十四日（月）　晴

無傷の接触事故

本日午後三時十五分ごろ、建設サイトと南大川《ナムデチョン》の中間地点（俗厚里《ソクフリ》）で我が方トラックと北側婦人の乗っていた（事故当時は自転車から降りた）自転車との接触事故が発生した。幸い双方にけが人はなく、被害は自転車の前輪の破損で済んだ。崔《チェ》副代表が現場に駆けつけ（警備隊同行）ＧＢ側と協議したところ、先方もこれを問題視する考えはなく、自転車の補償で不問に付したいとの意向だったらしい。崔副代表の報告によれば、我が方は制限速度や右側通行等北側の交通規則を守っており、何ら過失は認められないが、路肩からわずか五十センチしか離れていなかったこと、注意運転を怠ったことなどから若干の責任はあるように思えた。なお、これまでの経験から私は安易に自転車の補償を認めることに反対したが、我が方の責任ということではなく、不要な対立を招かず問題を円滑に解決できるとして他の代表が強く主張するのでこれに同意することとした。

四月二十七日(木) 晴

韓国通貨(コインのみ)のサイト内での使用

(現状)議定書上はサイト内ではいかなる国の通貨も使用できることになっているが、初期段階では北側との不必要な摩擦を防ぐため韓国通貨の使用を自粛して今日に至っている。但し、二年前に自動販売機使用の目的で五百ウォン硬貨を五百個搬入して韓国外国為替銀行支店にて保管中。

(必要性)本格的工事後韓国人労働者(現在四百名を超える)が増加し、自動販売機による飲料水、たばこ、ラーメン等の販売が必要となってきた。サイト内での購入機会が増えれば北側施設の利用頻度が減り、結果的にドルの不必要な流出を防ぐことになる。

(問題点)韓国通貨のサイト外への流出による北側の反応が危惧される(北側は主権侵害と受け取る

可能性大)。また、五百ウォン硬貨のみでは釣り銭等に対応できないので、百ウォン硬貨の搬入も必要となる。釣り銭の処理、自販機設置場所の確保、管理要員の追加配置も検討する必要がある。

(結論)韓電建設本部で準備が出来次第(六月一日をめどに)試験的に現有の自販機二台でたばこと清涼飲料水の韓国通貨による販売を始める。

なお、私からプリペイドカードによる自販機の利用の可能性についてただしたところ、現在韓国内ではそのようなシステムが一般化しておらず困難であるとのことであった。スペンス代表が米硬貨の使用も提案したが、自販機製作によけいな費用がかかるとして見送られた。

北側労働者の完全撤退延期?

今月限りで一人もいなくなるだろうといわれていた北側労働者がどうやらもう少し長く働くらしい。歓迎すべきなのかどうかわからないが、趙《チョ》代表は北側がその労働者の撤退計画を明らかにするか、撤退前の水準にまで戻すのであれば、南側労働者のみで工事を進めるのでなく、北側労働者も受け入れつつやる方向で検討すべしとの意見であり、スペンス代表も北側の柔軟な態度を評価して「首切り」はすべきではないとの立場であった。私は、北側が労働力供給(撤退)計画を明確にしないのなら、当初北側が完全撤退を主張していた時期(四月末)が過ぎたら、北の労働者は不要と通告するぐらいの態度で臨んでもよいのではないかと反論しておいた。北の言いなりになってばかりでいてよいのかという疑問から、何らかの対抗措置が必要ではないかと思われたからだ。

五月一日（月）　曇のち雨

そのマラソン大会、ちょっと待った！

　コリドー（新しく舗装された道路）でのマラソン大会にＧＢから待ったがかかった。昨夜遅くＧＢの安《アン》副局長が文《ムン》代表を来訪（住居地域入り口で面会）し、サイト外での行事については秩序維持上の問題があるので事前に協議をすべきであり、勝手に開催することは認められないとして強硬な態度で再考を促してきた（コースをサイト内に変更すること）。

　これに対し、文《ムン》代表より、コリドー自由通行は議定書で認められている事項であり、協議の対象にはならない、今次大会は舗装完了を記念するとともに「労働者の日」に走ることを企画したものであり、ＧＢが反対してもこれを決行する考えである旨反論した由。なお、その際、北側の住民に対する影響を考慮して、当初予定していたコース（建設サイトから住居地域まで）を変更して、住居地域からゲストハウスまでの往復とすることは検討する旨伝えた。

　大会当日朝八時に関係者が食堂に集まり、ＧＢの申し入れに対してどのような態度をとるかについて議論した。私からは、議定書にある我が方の権利で譲歩することは今後のためにならないとして、マラソン大会強行案を主張した。仮に譲歩するのであれば何か（たとえば海岸の即時開放等）と交換すべしと付け加えておいた。これに対し、韓電建設本部側から今後の工事への影響や楽しい行事を台無しにしたくないとして全面譲歩すべしとの意見もあったが、大勢は強行論であり、北側との摩擦を避ける形でコリドーでの強行開催が再確認された。そして、再度訪ねてきたＧＢに李《イ》代表より我が方の方針を伝えた。

マラソンスタートの一時間前になってＧＢから三度目の訪問を受け、今度は私も同席することとなった。我々の固い決意を見たＧＢ安《アン》副局長は、「労働節」というめでたい日でもあり、ゲストハウス前の橋の手前までの往復であれば今回に限り認めることとするが、今後はサイト外での行事については事前に協議してほしいと態度を軟化させた。私よりコリドー利用に関し事前協議をする必要は認められないと反論はしておいたが、ＧＢ側からは何らかの行事を行う場合に限るとしていたので、一応これを受け入れることとした。

こんな紆余曲折の末、予定どおり午前十一時に趙《チョ》代表によるスタートの笛が鳴り（ピストルはない）六十五名の参加者が往復四・二キロのコースに走り出た。結果は、優勝が警備隊のＫ隊員、私は六位（十八分五十四秒）に終わった。但し、年齢を問わないレースであったので、五十歳の走者としては満足のいく記録であったと思っている。ただ、四十五歳の韓電建設本部機電部長（四位、十八分三十一秒）に負けたのは悔しかったが……。表彰式では、私が賞品（電気カミソリ、ヘアドライヤー、蜂蜜、石鹸、ハンカチ）を七位から十一位までの入賞者に授与した。

北朝鮮労働者は続投

昨日ＧＢから韓電建設本部（当直室）に北の労働者が明日以降も今までの規模（百二名）で出勤す

るとの通報があったとのこと。賃金引き上げ要求が認められなければ、四月末日で全労働者を引き上げると息巻いていた北朝鮮側だが（実際に四月二十九日には南北の労働者間で別れの挨拶をした由）、理由は定かでないが、その方針を変更したようだ。

五月四日（木）　曇

手紙持ち出し禁止？

スペンス代表の休暇出国への見送りも兼ねて陽化港《ヤンファ》へ出向いた。

木曜日（停電日）の陽化港《ヤンファ》では何かが起こるというジンクスがあるが、果たして出国検査場に足を踏み入れてみると、施工企業団〇総務課長と先方税関職員が何やら口論していた。よく聞いてみると、先方から手紙は郵便として琴湖《クムホ》通信所を通じて送ることになっているとして、その携行持ち出しを禁じている様子。さすがに手紙の中身を見るとか、押収するとかは言わなかったが、その口論を聞いていていて北側の主張があまりにも理不尽で我慢ができなかったので、私からも手紙の持ち出しを禁止することは「議定書違反である」と強く抗議した。が、先方はあくまでも国内法で決められていることなので譲れないと言い張るので、その主張に納得したわけではないが、四日後にはチャーター便も運航されることもあり、ひとまず持ち出さないことにして丸く収めた。

後でＧＢの金鉄南《キムチョルナム》案内員にも口頭で議定書違反であるとして抗議をしておいた。彼が言うには、通関に関する国内法（手続き）については、先の（昨年九月）ハイレベル実務者会合でＫＥＤＯ側に文書で伝えており、その中に手紙の搬出はできないことが規定されている由。いずれにせよ、納得のできない措置であり（郵便で送れば検閲ができるということか）、機会を見てこちらからも文書で抗議する必要があろう。

五月五日（金）　曇

北側はなぜ労働者の完全撤退を延ばしているのか？

・北側が工事遅延の責任から逃れるための口実として労働者を残すことにした。
・賃金交渉の余地を残しておくため（労働者がいなくなると交渉再開を切り出しにくくなる）。
・北側内部での意見統一ができなかった（原子力総局は、傘下にある琴湖《クムホ》貿易会社の存在理由がなくなり自分らの既得権を奪われることを憂慮）。
・我が方サイト内の動向を把握する「目」がなくなる。

自転車購入費＋現金補償

先月二十四日に発生した我が方トラックと自転車との接触事故の補償問題については、人道的見地から以下の条件で我が方より自転車購入費として十ドルを弁償することで妥結した。

・我が方運転手には事故責任が全くないことを認める。
・本件に関する記録はすべて廃棄する。
・これ（補償に応じたこと）を前例としない。

当初我が方から現物補償を提案したところ、北側人民保安省（旧社会安全部）ＫＥＤＯ担当安全課長はこれに乗り気であったが、ＧＢの安《アン》奉仕担当副局長の考えで現金になったとのこと。

（五月九日から三十日まで休暇のため二十二日間サイトを離れる）

五月三十一日（水）　晴

杓子定規なカメラ押収

宣徳《ソンドク》税関で韓国重工業（株）からの出張者が所持していたインスタントカメラを申告しなかったとして一時押収（保管）されることになった。私からＧＢの案内員には強く抗議をしたが、出発が遅れるという理由で後日解決することになった。

税関申告書に正しく記入しなかったとして、北側に「押収」される事例が時々起こるが、その場で追加または修正申告をすればいいことにしてもらわなければ困ってしまう。北側の杓子定規なやり方にはついていけない。

第九章　二〇〇〇年　夏

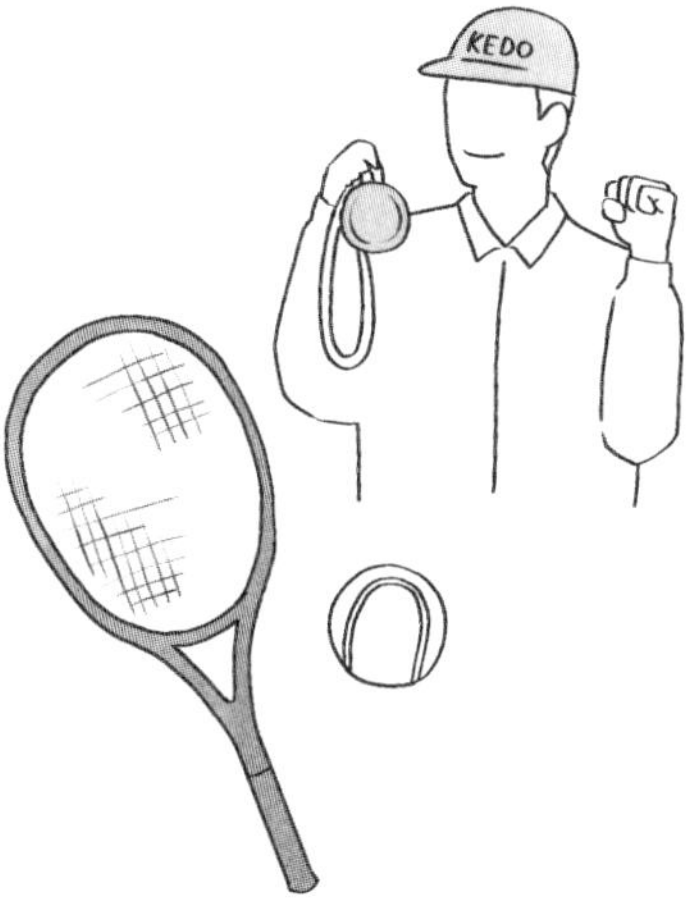

六月二日（金）　晴（霧）

屋外放送設置承認

ＧＢが建設サイト内屋外放送設置を承認した。その背景には、道路舗装との関係があるのではないかと韓電建設本部通信部長が次のように述べていた。

本件担当の崔《チェ》副局長は、自分の所管する通信所前の道路が韓電建設本部の好意により舗装されたことを非常に喜びつつ、本部長に会ってお礼を述べ、さらに未舗装となっている広場まで舗装してくれるよう頼みたいとして、面会のアレンジをＴ通信部長に依頼した由。

そこで同部長が、そのような依頼をするのであれば、懸案事項（屋外放送設置問題）を解決してからでなければあまりにも図々しいと馬鹿にされてしまうからやめた方がいいと忠告しておいたとのこと。これが利いたのではないかというのが同部長の解釈。何はともあれ長年の懸案が解決してよかったとＫＯＫ内で歓喜の声が上がった。

砂浜五十メートルの海岸開放要求

六月九日で我が方労働者が五百名を超えることとなり、議定書の要件を満たすことになったので海岸開放に関わる問題点等を整理してみることとなった。韓電建設本部工事部長が説明してくれたところによると、我が方が要求する案としては、開放する海岸の広さは長さ一・二キロ（すでに合意済み）、幅三百メートル（うち砂浜部分五十メートル）とし、海岸への通路は後門前と北側検問所前に設置することとしたらどうかというもの。

また、韓電建設本部は、海岸地域内の北側警備員の立ち入りは認めざるを得ないが、通常時は入ってもらいたくないこと、及び、海岸地域内での北側による商行為（酒、つまみ、飲料水、農産物の販売等）は禁止するべしとの方針でいきたいようだ。さらに、秩序維持隊の追加投入も必要になるかもしれない。いずれにしろ、利用者は休日と夜間に限られるであろう。

六月三日（土）晴（霧）

ビデオカメラ返却問題（一）

昨日突然GBから会議の要請があり、先方から副局長も出席するということだったので私も顔を出すことにした。約束の午前十一時にゲストハウスに顔を出したのは、GBから韓《ハン》責任指導員（外務省出身）、李《リ》責任指導員（通訳、電力省出身）及び朴《パク》案内員と興南《フンナム》税関の申《シン》責任税関員及び陽化《ヤンファ》税関の金《キム》税関員の計五人であった。先方の職位に合わせて私はオブザーバーに徹し、崔《チェ》副代表が主として発言することとなった。

税関側の説明は、ビデオカメラが倍率十五倍であることは認める（禁制品とはならない）が、入国時に虚偽の申告（六倍、その後六十倍に修正申告）があったこと及び所持人の入国後の行動に不審な点が見られた（山火事の撮影、帰国時の税関不正申告疑惑）ので、これを返却するわけにはいかないとのことであった。

これに対し、我が方からKEDO人員の個人所有物はいかなる理由があっても、これを押収することはできないことになっており（特権免除議定書第十七条八項）、早急に返却すべきであると反論した。私からも、ビデオカメラ「保管」が北側に何ら利益になるものではない点を確認しつつ早急に返還を申し入れたが、共和国の法律・規則に違反しており返すことはできないとの一点張りであった。

結局、議定書条文の解釈に大きな隔たりがあることを確認して別れることとなった。

この問題は、KOKから再度に返却を要求する公文書をGBに送りつけ、しつこく交渉していくしかないとの結論になった。

六月五日（月）　晴

ビデオカメラ返却問題（二）
趙《チョ》代表が本日午後単独でGBの陰の実力者周玄　哲《ジュヒョンチョル》氏と会い、本件問題について協議し、事後報告があった。「押収品を返してくれない場合は、所持人が韓国マスコミにその事実を公表するかもしれない」とほのめかしたところ、とりあえず再度検討してくれるようになった由。マスコミというのは、我々が使える「武器」かもしれない。

六月七日（水）　晴

本部長のインタビュー記事

韓電建設本部本部長が大韓毎日新聞（旧『ソウル新聞』、政府系）のインタビューを受け、本日付けで報道された。

南北首脳会談の特集記事（『南北和解の道ばたで』〈その四〉、「首脳会談の知らせに工事現場に熱気」）の一つとして軽水炉建設事業を取り上げたものだ。本人が、韓電本社と十分協議の上投稿したことがよくわかる。その記事の要約は次のとおり。

・北の反応は？　政治的対話は自制している。

・発表後変わったことは？　北側の態度が相当柔軟になってきた。

・個人的な期待は？　相互信頼の回復を期待。

・仕事で困難なことは？　円満な雰囲気で北の労働者も誠実。

・工事の進捗状況は？　道路の拡幅、舗装工事一部完工。生活基盤施設拡充にも着手、専用波止場も近く着工。

六月九日（金）　晴

北の職場長のたくらみ

北側労働者の総管理者である職場長から、仕事の必要性からサイト内を自由に通行したいと我が方に申し入れがあったので、昨日我が方の関係者の同行を条件に認めることとした。これを本人に通報するにあたり、施工企業団U管理部長からKOKに次のような要望があった。

職場長は北側当局に任命されている人事管理者で、最近自分専用の車（運転手付き）がもらえたこともあり、これを利用してサイト内を自由に動き回ろうと考えているようだ。彼の見たことがすべてGBに伝えられると思うと、たとえば北の体制を否定するような冗談を言ったとかで不要な摩擦を起こしかねない。また、施工企業団から月三百ドルの給与をもらって自分のやりたいようにさせるというのも将来を考えるといい前例ではない。

北の労働者を動かすのに職場長の許可を得なければ何もできないようでは、作業能率も落ちる。というような考えから、何らかの制限が必要と考えてきたわけだが、職場長が北側労働者（班長）に命令すればむしろ仕事がはかどることも多く、管理者が現場を回るのは南側の慣行でもあり、むしろある程度の自由移動を認めてやってほしいとのことであった。

同部長と協議の結果、北側車両のサイト内通行は損害保険に加入している限りこれを認めることとし、好きなときに移動が可能となるよう我が方の「案内」を常時張り付けることにした。

六月十日（土）　晴

最大七百八十席の新食堂

広さ約五百坪、座席数最大七百八十席の新しい食堂が建設サイト事務所裏（現食堂と事務所の間）に完工（工期十一カ月）し、本日昼食から供用開始となった。一般に開放する前に午前十一時三十分から簡単な開所式が開かれた、テープカットはＫＯＫ代表（三名、ジョーン米国代表は欠席）、韓電建設本部長、施工企業団所長、アラコ（食堂経営企業）支店長で行われ食堂内を見て回った。二十億ウォンの費用をかけて作られただけあって、広々としているだけでなく前に比べると多少高級になったような気がする。百席の管理者用食堂も別途設けられ、主として事務職員に利用されることとなる。そのすぐ横に北側労働者専用の食堂があるが、現在労働者が少ないのでテーブルが少ししか置いてなくがらんとしている。

テニス、登山などの同好会発足

同じ趣味を持つ人が集まって「余暇を有効活用しよう」という趣旨から韓電建設本部が音頭をとって各種同好会を発足させることになった。

テニス、ゴルフ、ジョギング（健康のため走る会）、登山（オイン峰を愛する会）等のスポーツやビリヤード、ピンボールという娯楽、さらには語学会、中国文化研究会といった教養の分野まで多彩だ。いずれも来週中に発起人大会が開かれる。私は、テニスと登山の同好会に入会する。

六月十一日（日）　晴

HANKUK問題（一）

今般舗装された道路には、夜間に車のライトに反射して光る蛍光道路標識（キャッツアイ）が設置され、これで夜間も安心して車が運転できると喜んでいたところ、GBから予想さえしていなかったクレームがついた。キャッツアイに刻印されているマークが「HANKUK」となっており、これはハングック（韓国）という北で認めていない政府の名前であるとして、意図的にこのようなことをした（事前に見せてくれなかった）として、これを至急消すように申し入れがあったのである。

日曜日の朝に突然道路標識についての会議を開くとKOK全代表に召集がかかり、趙《チョ》代表の宿舎で北側の要請につき協議した。結果、何ら緊急性は認められないし先方からも金《キム》ソンス局長が出席するわけもなく、「明日に延期しよう」と決めGBに回答した。が、これに感情的に反発したGB側が午後になって文《ムン》代表と個別の面談をしたいとして、同日勝手にKOK事務所のあるサイト入り口まで押しかけてきた。

その協議に私も同席したところ、GBから厳しい口調で明日中にKEDO側でマークを隠す（消す）ことを要求された。これを拒否する場合には北側で撤去するとまで強硬に主張した。

韓電建設本部工事部長によれば、キャッツアイは、事前にGB側の了解を得て約五千個を埋め込み済みであり、アルミ合金でできているのでマークを消すことも撤去することも容易でない由。

（偶然にも、その直後交通事故が発生し文代表と鄭仁鉄《ジョンインチョル》GB副局長らが現場に駆けつけることができた）

二度目の自転車事故

本日、午後二時五十分ごろ波止場進入路から二十メートル建設サイト正門方向に行った地点で我が方の施工企業団職員（清掃員、五十五歳）の運転する車（ダブルキャブ）が北側住民（パク・ジェソク、五十八歳）の乗っていた自転車と正面衝突し、北側住民がけがをするという事故が発生した。

私は金《キム》職員から知らせを受け午後三時四十五分ごろ現場に到着。北の踏切手が何やら興奮して大きな声で被害者側に非がなかったというようなことを主張していた。GB・KOK共同で運転手からの事情聴取や事故現場検証を行った。私よりも先に駆けつけた文《ムン》代表や警備隊隊長の印象は、我が方運転手の陳述が一定していないため、同人が嘘をついているのではないかと疑っており、我が方の車が反対車線を通行して北側の自転車と衝突したのではないかと推測していた。私は、波止場から事故現場に到達するには踏切を越え直角に曲がらなければならないことから、反対車線（進行方向左側車線）に進入することはかなり困難であるので、北側自転車がむしろ反対車線（あるいは道路中央付近）を通行していたのではないかと推測している。

事故を起こした運転手は、もちろん酒は飲んでいなかったし、敬虔なキリスト教信者であり、サイトには二度目の派遣である（前回は警備員として勤務）。前回の帰国時に北京まで私と一緒のグループで行ったが、韓国内で再就職ができずに困っているというようなことを言っていた。同人を本国送還するのかどうかは、今後の事故調査の結果にかかっている。問題は、同人が運転免許証を携帯していなかったということではないだろうか。北側の右側通行違反はどうやら明白のような気がする。

六月十二日（月） 晴

ＨＡＮＫＵＫ問題（二）

連絡会議はＧＢ側からの「ＨＡＮＫＵＫ」標示除去要求にどう対応するかで一時間以上にわたって議論をした。本日もＧＢから電話で「今日中に除去することを約束し早急に措置を取らなければ実力行使（住民によるキャッツアイの撤去）もあり得る」と脅しをかけてきた。我が方の対応案は、ＧＢに政治的な意図はないことを説明する会議を開くか静観する（撤去されれば公文書による抗議を行う）ことが検討されたが、とりあえず会議を開くことを提案することとなった。

しかし、そのタイミングで私と趙《チョ》代表の意見が相反した。私はＧＢが本件を緊急事態と考えていることを勘案し、「本日中に会議を開いて十分説明し最善を尽くすことが重要ではないか」と訴えたのに対し、趙《チョ》代表は、ＧＢの脅かしに屈しては今後に悪い前例を残すので、少なくとも我々が言いなりにはならないという態度を見せるため、明日開催を提案し問題の標示が商標であることで先方を説得するべしとの立場であった。確かに今までＧＢに一方的に主導権を取られ振り回されていたことを考えれば、趙《チョ》代表の主張にも一理があると思われ私も最後には同意した。

六月十三日（火）　晴

生中継で見た南北首脳会談

金大中《キムデジュン》韓国大統領が平壌《ピョンヤン》で金正日《キムジョンイル》総書記と会う瞬間をＧＢの人たちと偶然一緒にテレビで見ることとなった。彼らの表情からは大きな感情の変化は読みとれなかったが、生中継放送は関心をもって見つめていた。その時北のテレビでは何の放送もしていなかった。一緒に見ていた韓電建設本部行政部長が、後でビデオに録画してＧＢに届けることを約束した。

テレビ出演

南北首脳会談関連番組で韓電建設本部本部長が韓国のテレビに出ることとなり本日テレビ三社からのインタビューを受け、本日夜のＭＢＣニュース及び明朝のＫＢＳニュースの中で放映される。北で軽水炉事業に従事する労働者は感激もひとしおであったとしつつ、首脳会談を契機に双方の理解と信頼が深まり平和と共存の時代が早まること、及び軽水炉事業に一大転機が来ることを期待したいというような内容であった。

六月十四日（水）　晴

運転手の陳述は本当なのか⁉

ＧＢより我が方運転手に対し事情聴取したいとの要請があり、私と文《ムン》代表及び施工企業団Ｕ管理部長が立ち会った。午前十時から先方琴湖《クムホ》地区人民保安所（張《チャン》所長及び金《キム》課長）を中心に事情聴取が始まったが、本人の陳述が明確でないこともあり文《ムン》代表が若干の補足説明をすると、北側もこれに対して反論をするという形で事故の状況及び原因をめぐってその解釈が全く一致せず、大いにもめることになり、とうとう現場検証にまで出かけたが、午後十二時三十分を過ぎても何ら一致点を見いだせず最後協議することとして別れた。双方の主張を整理すると次のとおり。

（ＧＢ）ＫＥＤＯ側車両が交通規則を守らず道路の左側（線路側）前方を注視せず通行したため、右側通行を守っていた自転車をはねた。証拠は、被害者が倒れていた位置、自転車が放置されていた位置、血痕の位置がすべて線路側にあり、かつ轍《わだち》及び制動位置から判断して車両が反対側車線を通行したことが明らかである。

被害者も線路側を通行したと陳述している。なお、道路幅が九メートルで車両速度が十五キロであったことから被害者がはねられた勢いで反対側まで運ばれることはあり得ない。（KOK）北側住民が交通規則を守らず道路の左側を自転車に乗って通行していたため、我が方車両と接触した。但し、左折後すぐであったため運転手が前方を十分見る余裕がなかったことは認める。証拠は、車両の助手席側フロントガラスの左側が破損していること（被害者の頭部が接触）、制動位置が道路の右側にのみ見られること、接触時に破損した車両の部品（サイドミラー、前照灯カバー）が道路右側に落ちていたこと（この事実は北側線路看守も証言している）、我が方警備隊隊員が遠くからではあるが事故発生直後通行人（北側老人）が被害者を抱えるところを目撃していることである。

私も、運転手の陳述に若干不審な点がある（事故発生後に被害者を見たのかどうか）が、今回の事故の直接の原因は北側自転車の道路通行違反（左側通行）にあると思う。

ジョーン代表は、一般的に車と自転車の事故の場合、車両運転手が不利であり、責任を逃れることはできないし、北側のプライドからしてその住民が正しいと主張するであろうとして、責任問題を議論するよりも解決方法を議論する方が得策ではないかと主張していた。傾聴に値する意見ではないだろうか。

南北共同宣言

本日南北首脳間で合意した南北共同宣言は、北側の勝利ではないかと思う。自主統一及び連邦制が盛り込まれているからだ。人質を家族に会わせる（北に縁故がある韓国人が七百六十六万人いる由）だけで身代金（韓国からの経済協力）が入るということか。金正日の空港出迎え儀丈隊査閲や自動車同乗も自分のソウル行きの準備（同じ待遇を受けるつもり）かもしれない。

六月十五日（木）　晴

単独交渉
趙《チョ》代表が日米国代表に事前に知らせず単独でGBの金《キム》局長に会い（先方は李根成《リグンソン》責任指導員が同席）懸案問題を膝談判で解決し、事後に我々に報告があった。
ただ、その解決方向はすでに何度も代表間で協議した結果を十分踏まえたものであり、交渉が行き詰まっていた現状を考え、かつ韓国代表が暗黙的に主契約者や韓国人労働者を監督する（その行動に責任をとる）立場にあることから、趙《チョ》代表の行動に異議を唱えることは控えた。その合意内容は次の通り。
・蛍光体のＨＡＮＫＵＫ標示
我が方はこれを可能な限り早期に除去する（標示を削りとる）ことに同意するが、その期限はつけないことでＧＢも了解（十八日までには完了する予定）。
・ビデオカメラ

我が方からの強い申し入れと説得に応じ、六月中に返却することをGBが約束（先日趙《チョ》代表が周副局長に根回しをし、KOKより口上書を送りつけたことが功を奏したものと思われる）。

三者連絡会議

（施工企業団より）先日交通事故を起こした運転手に始末書提出と、警告及び一カ月間の運転禁止措置を取った旨報告あり。KOKより事故の調査が終了していない段階で処分を決めるのは時期尚早ではないか、また、処分内容が甘いのではないかと指摘。

（KOKより）本日から緊急事態発生時の無線チャンネルを九番とする（受信者は秩序維持隊）として関係者に周知する。また、韓国で口蹄疫が発生しているためGBから罹病した牛や豚の肉を持ち込まないようにしてほしいとの要請があったので、食品搬入担当者等に注意喚起するよう指示。

（韓電建設本部より）道路の舗装を西湖村《ソホ》まで約五キロ追加して行うことに決めた旨報告あり。これはGB側からの要請に応じる形で施工するものであるが、我が方の輸送コスト削減効果もあり、かつ、拡幅部分の農地提供など先方の協力を得やすいという利点もある。

公式随行員

南北首脳会談は、世界に（サイトにも）金正日《キムジョンイル》ショックを与えて金大中《キムデジュン》大統領が無事帰国して終わった。韓国側公式随行員の中に前KOK代表（徐《ソ》氏）を見つけてまた驚くと同時に、我々の代表がいるようでうれしかった。ＫＥＤＯ事業のことが首脳間でどんなやりとりがあったのか気になる。

完成したカラオケルームで歌ってみた

厚生館２に建設中のカラオケルームがほぼ完成したので、ＫＯＫ代表、韓電建設本部幹部、施工企業団所長らが視察を兼ねて利用してみた。

ルーム（十人は入れる）が両脇に全部で八室、真ん中に四十から五十人は収容可能なマルチスクリーンと舞台のあるホールがある。また、音響機器を塵から守るため入り口でスリッパに履き替えることになっている。日本及びアメリカの歌もたくさんある（二百曲以上）ので韓国人以外でも楽しめる。料金はルームごとにいくらか取るらしい。酒やつまみもその場で注文できる。ホステスがいないだけで、あとは韓国のカラオケと同じだ（むしろ豪華かもしれない）。女性のヌードも歌詞の背景画面に選択することができる。正式開業は七月になってからとのことだ。

六月十六日（金）　晴

逃れられない運転手の責任

午後四時から二時間半にわたりゲストハウスで二回目の合同調査が行われ、北の被害者も出席した。北の被害者から直接話を聞くのは初めてのケースとなる。ＧＢ側の我が方運転手への補足質問に続いて、我が方からも被害者への質問が許され私も疑問点をただすことができた。しかし、双方が道路のどちら側を通行していたのかについては、それぞれの陳述が相反し結論を出すには至らなかった。

我が方運転手の陳述書には、衝突地点が道路の中央付近であった（前回は右寄り）こと、車両を一時停車した位置が建設サイト入り口の道路上であったこと等を追加した。

北の被害者の陳述は、自分が交通規則を守って右側路肩から一メートル付近を自転車で通行しているところに、突然車が正面からやってきてはねられ、事故地点に停車せず行ってしまったというものであった。私から、ミラー等の部品が落ちていた地点が中央より左側（線路の反対側）であることが確認されているが、中央線付近で衝突したのではないかと問うたところ、右側に間違いはなく、部品は後で誰かが拾い上げていたのを見たと証言した。

北側人民保安所の張《チャン》所長は、本件調査は事故の原因がどこにあるのかを見つけることにあるが、それが運転手の交通規則違反（前方注意義務怠慢、左側通行）によるものであることがほぼ明らかになったとしつつ、運転手が良心に反して陳述をしていることは遺憾であるとも述べた。

これに対し、文《ムン》代表より前方注意義務が十分でなかったことは認めるが、本件事故は北側自転車が左側通行をしていたため起こったものであり、一方的に我が方に責任があるような結論には納得できない旨反論した。

私は、当事者双方の陳述を聞き、事実がどうであれ我が方運転手の責任は逃れることができないと感じた。これ以上ＧＢ側と議論しても我が方の利益にはならない（運転手の免許証不携帯まで追及されかねない）。

今後は保険金による賠償でけりをつければよいと思う。本日加害者から被害者へ謝罪もできたのだから。

六月十七日（土）　晴

昨日の合同調査の結果を踏まえて文《ムン》代表と協議をしていたところ、我が方運転手が嘘をついているのではないかとの疑問が湧き、警備隊隊長に再調査を命じた。

その結果、北側主張が正しいらしいことが判明した。このような不誠実な運転手については本国送還処分に値するというのが文《ムン》代表の意見。

嘘なの？　嘘なのか⁉

六月二十一日（水）　晴

交通事故調査結果
十一日の交通事故に関して、北側の調査結果につき報告を受けることとなった。我が方からは、崔《チェ》副代表、施工企業団管理部長及び私が出席。

北側人民保安所の李《リ》所長は、次のような意見を述べた。

「本件事故は南側車両が交通規則に違反し道路左側に進入・走行したために起こったものである。また、当該車両の運転手は事故直後被害者を助けようとしなかったのみならず、捜査段階においても虚偽の陳述をする等捜査混乱を招いた。このように加害者には、故意あるいは精神異常があったと認められる。よって、(当地で運転が可能となる) 免許を剥奪する。さらに、当地滞在が好ましくないので、きちんとした処分をすることが望ましい」

これに対し、我が方より北側の事故原因についての説明には納得できないとして、縷々《るる》我が方の推察を述べたが、大筋で我が方運転手に責任があったことを認めた。また、運転免許剥奪は、北側の法律で規定されているのであれば了解するが、そうでない場合にはその規則に従ってほしいと反論しておいたが、免許証を返してくれるような雰囲気ではなかった。

今後の処理方法については、次回に協議することとなった。

労働新聞

ゲストハウスでの散髪に行き、待合室で、南北首脳会談 (北では「北南最高級相逢」) を報じる労働新聞を見た。今まで見たこともないくらい大きな写真と活字で飾られており、その重要性につき北がどう考えているのかがわかる。

六月二十二日（木）　雨のち晴

頭ではわかっている税関職員

陽化港《ヤンファ》に出かけたついでに、北の税関職員に「首脳同士が仲良くしているのだから税関検査も簡単にしたらどうか」と言って様子をうかがってみたが、「そうだね」と言いつつ普段と変わらない検査をしていた。頭ではわかっているようなのだが。

六月二十四日（土）　曇

二台とも盗まれた!!

大仁湖《テインホ》下流で橋梁を建設中だが、その橋桁《はしげた》の基礎を作るため川の水を揚水機二台で汲み上げている。二十四時間連続して行うので夜は機械のみ残して周りに誰もいなくなる。それを知っての犯行か、二台とも今朝何者かに盗まれた。個人の仕業ではなく明らかに組織的なものである。おそらく田植えのため水田に水を引く必要から農場関係者が持っていったに違いない。韓電建設本部からGBに抗議はしたらしいが、返ってくるかどうか疑わしい。

六月二十六日（月）　雨のち晴

昨年盗まれた揚水機戻る

揚水機盗難について一昨日韓電建設本部よりGBに抗議しておいたところ、今朝一台が戻ってきた(但し、今回ではなく昨年盗まれたもの、この事実はGBに知らせず)。今後このような被害を防ぐため、保険を含めて何ができるかを検討する。ジョーン代表は、揚水機等に保険をかけることを提案。韓電建設本部は聞いたことがないとして消極的。北側の保険会社を使うので少なくともある程度の抑制効果があるのではないかと思われる。

潜水服とアンテナ押収

今朝、GBからこれらについては、早期に通関すべく努力しているとの連絡があった。しかし、通関現場にKOK代表（私）がいたにもかかわらず何の報告もしてないのは、北との関係からも弱い立場に置かれることになるので、今後気をつけるようKOKより韓電建設本部に注意喚起しておいた。通関現場では、南北ともKOKの介入を煩わしく思う雰囲気がある。

韓国への電話回線不足が深刻

サイトの人口が急激に増えた。毎日夕方から夜にかけて韓国にいる家族に電話をする人が増えたため皆が困っている様子だ。某代表は「土、日と自宅に電話をかけようと何度となく受話器を取ったがいずれも話し中で結局あきらめた」とため息を漏らしていた。韓国から緊急の連絡さえも通じないことが多いとのこと。

韓電建設本部は、回線増設、デジタル化等の対策を検討中だが、いずれもコスト高がネックとなって早期に解決する見通しは立っていない。

六月二十九日（木）　曇のち雨

通関保留

二十二日、陽化港《ヤンファ》税関で潜水服及びテレビの室内アンテナが押収されたところ、その経緯は次のとおり。

韓国から搬入する物品・機材については、パッキングリストを作成して通関時に確認のための資料として活用しているが、潜水服は高価で破損するおそれがあったので、施工企業団工事部次長が直接手荷物として搬入しようとしたものである。準備期間が短くリスト作成ができなかったが、北側はリストから当該物品が抜けており、潜水用なのでGBと協議の上通関するかどうかを決めるとしている。

レントゲン検査とリンゲル注射治療

十一日に我が方車両との衝突で負傷した北側住民（パク・ジェソク）が、前例になく我が方医師の診療を受けたいとして、住居地域にある医務室を来訪した。これはGBを通じて要請があったもので、午前十時三十分からGB職員と共に一時間ほど共同医務室にてレントゲン検査とリンゲル注射治療を受けた。我が方K医師によれば、骨や内臓に特に異常はないが排尿困難があるとのことであり、よって事故による身体の損傷は特に認められないとの診断結果が出て、北側医師もこれを認めた。患者のために本日中の入院を勧めたが、必要な検査と治療が終わった段階で帰ることになり、薬を持たせた。

HANKUK問題（三）

本件問題をめぐって午後二時から五十分間GBとの会議が開かれたところ、その概要は次のとおり（先方出席者：金星珠《キムソンス》局長、鄭仁鉄《ジョンインチョル》副局長、李根成《リグンソン》責任指導員、韓相哲《ハンサンチョル》、孫徳庸《ソンドギョン》）。

（GB）民族の大慶事の日に不愉快な話をすることになり申し訳ないが、共同区域の道路標示については手続き書四条八項で合意したとおり、すべて我が方との合意の上で工事を進めてほしい。道路に黄色線、点線、菱形を引く際にも若干の衝突があったが、これについては本日は取り上げない。蛍光体は、我々の神経を逆なでする政治的な道路標示であり、中学生でも英語を習っていることから学生も簡単に何が書いてあるかがわかる。KEDOはこれを我々と協議せず設置したばかりではなく、日曜日の会議要請にも応じなかった。

（KOK）会社名と国家名を混同している。我々には何ら政治的な意図はない。韓国のつく会社名は外国の子会社や合弁会社にも多く、これらが使えなくなると品質の良い外国製品が輸入できず、質の低下を招く。
（GB）政治的問題も区別できないことは遺憾。
（KOK）「HANKUK」標示は本当に貴国の思想に対する脅威となり得るのか。
（GB）今日または明日中にすべての「HANKUK」標示を除去しない場合は、どのような事態が起こっても責任は持てない。
（KOK）我々を脅迫するのか。
（GB）脅かしているのではない。標示をなくせと言っているだけだ。
（KOK）貴国側の要求は理解した。韓国を宣伝する意図はないのが理解してもらえず残念だ。我が方内部で解決策を模索することとしたい。
起興《キフン》土建の○職員が個人的に視聴するため持ち込もうとした五インチ携帯テレビに付属の皿形アンテナ（高さ二十センチ、直径十二センチ）が通信に使用するのではないかと疑われ、その性能等を調査するまで通関が保留されることとなった。

七月一日（土）　晴

海岸開放交渉（一）

GBがやっと海岸開放に関する話し合いに応じてくれた。しかも予想していなかった譲歩案を提示してきた。その内容は次のとおり。

・海岸開放の範囲は長さ千二百メートル、海水面の幅百五十メートル（砂浜を除く）とし、その位置は議定書で決められた地点から我が方住居地域方向にその北側境界から二十メートル残すところまで平行移動する（約六百メートル南に移動し、KEDO側に利用しやすい位置となる）。
・海岸への通路は二カ所とし、一カ所は北側の端に、もう一カ所はKEDO側の希望するところに設けてよい。但し、その通路入り口付近に検問所（通行を統制するものではなく保安上必要との説明）を設置する。
・開放区域は海上部分を除いてすべてフェンスで囲むこと。
・日没後は海岸利用を制限する。

これに対し、我が方より次のとおり反論。

・海岸及び海面は陸地境界から三百メートルとしたい。陸地境界は堤防としたらどうか。
・通路の幅は十二メートルとしたい。
・開放区域の安全点検（爆発物がないかどうか等）及び施設物の撤去を要請する。
・安全確保の観点から、モーターボート一台以上、呼び出し用スピーカー等救命に必要な物品を備え置きたい。

・さらに、駐車場、売店、テント、更衣室、シャワー、電話等のサービス施設も設置したい。
・秩序維持は、第一次的にはＫＥＤＯ側が行いたい。
・ラジオ、音楽等は近隣の村の騒音とならない範囲で自由に聴き、かつ歌うことにつき協力を得たい。
ＧＢからの反応は、検問所設置以外についてはかなり柔軟であった。次回は三日に合同現場踏査をすることとなった。

七月三日（月）　晴のち夕方雨

海岸開放交渉（二）

午前十時三十分からＧＢ、韓電建設本部関係者と一緒に開放予定区域の現地調査を行う。高圧電流が流れているはずの海へ通じる境界の有刺鉄線も難なくくぐり抜け、地雷が埋まっているかもしれない砂浜も自由に歩き回り、開放区域の南の端を確定し旗を立てた。ＧＢから一昨日の提示案よりもさらに南に行ってもよいとのことで、海岸地域がさらに広くなった。問題は生活排水が海へ流れ出るところが含まれてしまうということだろう。北側の検問所の位置も気になったが、通路の近くということだけで位置を決めるまでにはいかなかった。

海岸開放交渉（三）

この合同調査の結果を踏まえて韓電建設本部・施工企業団と協議し、以下のラインで対処していくこととなった。

・海岸区域の幅：水際ラインから沖へ二百メートルを要求するが、ＧＢがこれに強く反対する場合には百五十メートルで妥協する。
・通路の幅：将来を見据えて十二メートルを要求する。
・北側検問所：設置には反対しないが、その位置を堤防から海側に持っていくよう交渉する（我が方住居地域を監視できないようにするため）。また、常駐人員を二名までに制限する。
・利用時間：常時開放の原則の下で、我が方の自主的な規制とする。
・フェンス：堤防の上に有刺鉄線を設置できるよう交渉する。
・安全確保：事前の安全確認と必要な機材の搬入、施設の設置を要求する。
・駐車場：用地を海岸近辺に確保しておく。
・秩序維持：第一次的にはＫＥＤＯ側が責任を負う。
・実施時期：七月九日からが望ましい。

七月六日（木）　晴

音楽を自粛する一日

七月六日が故金日成《キムイルソン》主席六周忌ということで、その前後一週間を静かに過ごさなければならないとかで宴席での歌は禁止されている（北朝鮮の国民のみ）と聞いていたが、今日玉流館《オンニュウグアン》ではかわいい儀礼員同務（ホステス）が我々のリクエストに応えて『また会いましょう』等二曲を歌ってきかせてくれた。リクエストがなければ「首領様」を言い訳に、いつものサービス（歌）を省略しようとしたのかもしれない。

七月七日（金）　晴

海岸開放交渉（四）

ＧＢと二度目の現場協議が行われ、九日からの海岸への立ち入りが認められることとなった。但し、開放区域の範囲、通路の幅（ＧＢは突然二・五メートルを提案）、検問所の位置等については何も合意ができていない。それでも我々に開放するとの決定を下したのは何か下心があるのではないかと疑いたくなる。しかし、当面歓迎すべきことなので我が方もさっそく入り口の整備等準備に取りかかることになり、区域範囲標識、トイレ、更衣室、テントなどが明日までに整備されることとなった。

なお、開放初日の日曜日には警備隊も動員され警備に当たる予定。
余談だが、サイト内には女性も七人ほど（うち一名は四十代独身）住んでおり、水着で海岸に出てくることを制限することはできないが、韓電建設本部長はビキニ姿での「登場」は男性海水浴客にとって目の毒（？）なので自粛を要請したとか。

靴

本日の現場協議に出席したGBの文《ムン》さん（三十代）の運動靴が裂けているのを見つけ、私が自分の靴を「贈呈したい」と伝えたが、何だか曖昧な返事しか返ってこなかった。その場でお互いに靴を取り替えてもよかったのだが、とうとう実現しないまま別れることとなった。

七月八日（土）　晴

金日成《キムイルソン》主席六周忌
金日成《キムイルソン》主席が亡くなってから六年になるというのに、「偉大な首領様は永遠に我らと共におられる」ため、命日の朝から関連の施設に参拝が続いたとのこと。私も崔《チェ》副代表と俗厚《ソクフ》村に様子を見に出かけたところ村の入り口にある金日成《キムイルソン》主席光臨記念碑（一九五七年）と肖像画に数多くの花束が捧げてあるのを見た。

駅前には肖像画の他にも「……永遠に我らと……」の標語入りの塔（十メートルぐらい）と現地指導の内容を伝える掲示板を建設中であった。
こんなモノに金を使わないで、駅前広場を舗装したらどうかと思う（かつて韓電建設本部から申し出たが、これを北側が断ったため未だ舗装されていない）。駅前を並行して走る道路の片側は、我が方でカラーブロックを敷き詰めた歩道が完成しつつある。

海岸開放準備完了
境界区域標示、トイレと物見台が設置され、明日からの海岸開放の準備が万端整った。明日は暑い一日となりそうで、人出が予想される（海岸開放初日は、朝から五十人ほどが海に出て海水浴と釣りを楽しんだ。きれいな海は遠浅で海水浴に適している）。

七月十二日（水）　晴

本格的娯楽施設誕生
「厚生館2」及び「便宜棟」と名付けられた二つの建物が完成し、開館式が行われ、私も代表の一人としてテープカットに参加した。本日から利用が可能となる施設の概要と利用料金は以下のとおり。
営業時間も夜十一時までとなっている。

・統一ノレバン（カラオケ）　三室一ホール　無料（飲食代のみ）
・琴《クム》湖《ホ》ビリヤード　九台　十分五百ウォン
・絃琴《ヒョングム》スーパー　日用品販売　時価
・絃琴《ヒョングム》図書、ビデオ貸与　一巻五百ウォン
・便宜棟　洗濯機二十台、卓球台四台、休憩コーナー（将棋・囲碁セット各六組）

夕食に招待し合う「合席食事」

サイトにKEDO代表団が来ると北側代表団と交互に夕食に招待しあうのが慣例となっており、これを北側は「合席食事」と呼んでいる。今回も北側が一方的に合席食事をやることに決めてしまったので、KOKでは抗議の意を込めてこれを断った。しかし、代表団側からは「やるべきではないか」との意見が多く、夜のGBとの事前打ち合わせでこれを了解した。

七月十三日（木）　晴

海上輸送に関わる交渉

・会議進行方法

我が方団長が疲れていること、及び十分議論を尽くすべく韓国語で行うのが望ましいとの観点から、我が方はJ団員が、先方は姜大奎《カンデギュ》陸海運省海運局長が双方の団長に代わって議事を進めることとなった。

・貨客船

我が方から乗客数を一回五十名以上にするよう要求したのに対し、先方はこれを認めず。

・旅客施設利用料

我が方から他の国の例と比較しつつ一人一・二ドルとするよう主張したのに対し、先方は出入国二回徴収するというので、これを倍にして出国時のみ支払うこととした。きりが悪いのでこれを二・五ドルに引き上げた（ＫＥＤＯでは十ドルまでを覚悟したが、これが四分の一になった）。また、停泊料も我が方の要求する総排水トンを基準とすることで決着を見た。

・新航路の座標

新航路の座標が当初の合意より若干ずれていることについては、実質的な支障はないとのことが双方間で確認された。しかし、一本化までに至らず、結論は次の協議に委ねられることとなった。

・航海の安全確保

待避港指定は無理であったが、北側から元山《ウォンサン》、長田《チャンジョン》無線基地との直接連絡承認と陽化《ヤンファ》無線基地の設置及び使用機材については前向きの対応が見られた。

・医療緊急移送

緊急移送船の航行が文書で確認され、これで緊急時に貨客船を送れることが担保された。但し、港湾料金については未合意（この問題は今回先方より馬力基準にしてほしいとの提案があった）。
・パイロットステーション
悪天時に限って、より安全な位置を設定することを検討することとなった。

柔軟になったのかもしれない

会議や夕食会は、非常に友好的な雰囲気に包まれていた。南北首脳会談後、北側の政策が柔軟になったのかもしれない。海上輸送に関わる交渉は、我が方が期待していた以上の成果が得られ、特に韓国側からの参加者は大満足であった。

七月十六日（日）　晴

少しは顔が売れてきたのか？

陽化《ヤンファ》港で陽化《ヤンファ》通行検査所（出入国管理事務所）に勤務している金勇《キムヨン》氏（三十代、課長クラスか）が私に親しげに近寄ってきていろいろと質問をしてきた。これまで北側の関係者の方から話しかけられることはあまりなかったが、少しは私の顔が売れたせいかと思いきや、話しているうちにどうやら貨客船就航の時期及び旅客施設使用料に関心を持っているらしいことがわかった。
先日妥結した一人二・五ドルの収入から、通行検査所もそのおこぼれにあずかろうという魂胆らしい。

さらに、北側がＫＯＫ職員に発行する身分証明書を税関検査時に提示してくれれば一切検査はしないといって、その申請・受領を促してきた。私より、出国時に提示するのは旅券（ＫＥＤＯ証明書）のみで十分であり、北側の発行する身分証明書を持っていても自由に国内を移動できるわけでもなく、実質的には何の役にも立たないではないかと反論しておいた。

七月二十一日（金）　晴

妻と一緒にニューヨーク出張

私のサイト滞在もあと一カ月余りを残すのみとなった。実質的にはあと二週間で私のＫＯＫでの仕事が終わる。その前に妻同伴でＮＹへの出張（八月四日から十九日まで）が認められとてもうれしい。

要人保養地

今朝来訪客らがいつもより早めにサイトを出発した。途中で馬田《マジョン》という松林のきれいな海岸を見物するためだそうだ。かつてはここで一泊して宣徳《ソンドク》、平壌《ピョンヤン》経由でその日のうちに北京に出るというコースもあったとか。今回は平壌《ピョンヤン》・北京間の座席が足りず希望者全員が乗れなかったのが残念。

七月二十四日(月)　晴

サイト撮影問題(一)

ＧＢからサイト内の写真及びビデオ撮影についての要望が非公式に伝わってきており、これを許可するかどうかについて三者間で議論した

韓電建設本部側は、撮影された映像が政治的に利用されたり、これを前例にして今後頻繁に撮影を要求されるのではないかと疑心暗鬼になっている。それに、先方の言う原子炉運転時に必要な材料とするために我が方が発電所を引き渡す時にあらゆる写真を含めた資料も渡すことになっており、ＧＢに撮影を認める必要性がないというものだ。

これについて、文代表《ムン》は「一回限りで外部からの撮影程度であれば南北協調の観点から認めたらどうか」との意見を述べていた。

私は、北側が単に記録用とするとは思えず、また、我々に課している撮影禁止の制限との釣り合いからも特に認める必要はないと考える。ただ、これが何らかの取引材料として活用できるのであれば(たとえば、税関に押収されている潜水服、テレビアンテナ等の返却)、例外的に認めるのも手かもしれないとも思っている。

電話回線増設

本日から韓国との電話回線が二回線ほど増えることとなった。これで若干ではあろうが夜の電話待ちが少なくなることが期待される。

七月二十八日（金）　雨

サイト撮影問題（二）

ＧＢからの要請に基づき金局長が出てきてサイト内撮影問題について会議が開催されたところ、その概要以下のとおり。

（ＧＢ）原子力総局からカメラマンらが撮影のためにすでにサイトに到着しているが、ＫＥＤＯ側の協力が得られないまま三日間が過ぎた。本件撮影は、（原子炉を）受けとる側がより良いものをもらいたいとの気持ちから行うもので、何ら政治的な目的はない。我が方にもきちんとした記録を残す義務があると考えている。本件で進展が見られない場合には、ＫＯＫとの関係も見直さざる得えないだろう。

（ＫＯＫ）原子炉建設現場の撮影は、国際的慣例にないものである。維持管理上必要となる写真は我が方から原子炉引き渡し時に一括して渡すこととなっている。また、建設中においても韓電建設本部から三カ月ごとにＧＢ側に写真を提供している。我が方は、ＮＹに本件の可否を照会したが、承認は得られていない。今後、ＧＢ側で目的と撮影対象をより明確にしてくれれば、さらにＮＹと協議の上検討したい。

（ＧＢ）本件は国際慣例でなく供給協定に従うべきだ。撮影目的には建設過程の記録以外に他意はない。このような簡単な問題はサイトレベルで解決することが望ましい。

（ＫＯＫ）双方が協力することには賛成だが、我が方もＮＹの指示に従わざるを得ない。

（＊ＧＢからのサイト立ち入り申請書には、七人が一週間かけて撮影すると書かれていたが、会議後先方の通訳が私に耳打ちしたところによれば、一日だけでよく、建物内部まで撮影する意図はない由）

七月三十日（金）　曇り

五倍の発電容量を誇る自家発電施設完成

これまでの発電容量の五倍となる七百五十キロワット級発電機を三台備えた新発電所が数日前に完成し試験運転を繰り返していたが、いよいよ本日から本格運転に入ることになり、その安全、無停止を祈願する式が挙行された。ＫＯＫからも全代表が出席し、豚の頭の飾ってある祭壇を拝み、お布施（ＫＯＫとして五十ドル）を奉納した。

関係者の話によると、これまで手動で発電機を切り替えていたため一時停電（一分間）するようなことがなくなるとのこと。現在のところ大型プラントに電力を供給していないので、五百キロワットで十分であるので電力供給に問題はない由。これからは安心して宿舎でエアコンやコンピューターが使える。

七月三十一日（月）　曇のち晴

サイト撮影問題（三）

連絡会議では、北側のサイト撮影問題をめぐって議論。一昨日届いたＧＢからの口上書には建設の記録を残すため定期的に撮影したいと記述されており、この点が我が方の受け入れられないところだ。もし、北側が一回限りの条件を呑まない場合は、我が方でビデオ撮影の上編集して渡すことを提案してみることになった。

（八月四日から十五日までＮＹ出張のため十二日間サイトを離れる）

八月十五日（火）　晴

香港から来た女性

ＮＹ出張からの帰路、平壌行の高麗《コリョ》航空機内でふとしたことから香港から来たという肥料会社の女性社長と話すことになった。李玉珍《リオクジン》というその女性（五十五歳）は、自分は北朝鮮で生まれたが、平壌《ピョンヤン》の華僑学校に通ったのが縁で香港に住む中国人と結婚して三十年近く香港で暮らしているという。北朝鮮との取引は年間五十万ドルぐらいで、天候が悪いと肥料が売れずかつ代金の支払いも滞るとのこと。北朝鮮相手の商売は十年ぐらい続けているそうだが、あまり儲かるわけではないが売上代金回収のため仕方なくやめられずにいるとのこと。南北首脳会談以後の北側の変化につき期待をかけているようでもあった。ただ、ＫＥＤＯの事業については何も知ってはいなかった。

八月十九日（土）　晴

任期を終えるにあたって

一九九八年八月、日本からの初代常駐代表として着任して以来、本日まで二年余りにわたり無事にその任務を果たすことができ一種の達成感を感じる。任期も残り十日間となったが、次の日本代表への引き継ぎやＮＹからの来訪客の接遇に万全を期して「立つ鳥跡を濁さず」にやっていきたい。

ＫＯＫでの外国人（主として韓国人）との勤務や共同生活、北朝鮮との交渉、琴湖《クムホ》での二年間は、必ずしも心身ともに気が休まることはなかったが、今後この貴重な体験が自分にとって大きな財産になるだろう。

一番苦しかったのは、やはり自由がなかったということだろう。特にサイトからの出入「国」の制限（リストの事前提出、案内員の同行、交通手段の制約）が、精神的に大きなストレスになったと思う。北朝鮮の外国人収容所に入っているのではないかと思うことさえあった。もちろん、家族と頻繁に会えなかったこともつらかったが、これは韓国人労働者が一年に一度しか休暇で帰国できないのに比べればはるかに恵まれていたと思う。

反対に楽しかったことといえば、GBとの論争で我々の主張が実現するたびに充実感を覚えたし、サイト内でのテニス大会で優勝した時もうれしかった。

秘密好きの北朝鮮でどれだけ真実の姿を見てきたのか疑問なしとしないが、全般的な印象として、北の国民は一生懸命生きており、それなりに幸せを感じているのではないだろうかと思えた。しかし、国民生活の向上につながるKEDOの事業に北側が非協力的な態度をとるたびに、原子力発電所の完成が少しずつ遅れていくのが残念でしようがない。

九月二日（土）　晴

劇的な「脱出劇」

八月十九日に後任者（前在釜山《プサン》日本国総領事館領事）が着任。サイトを去る日までは、事務引継ぎや引っ越しの準備のため忙しい日々が続いた。

しかし、私の北朝鮮「脱出」がこんなに劇的なものになろうとは全く予想していなかった。それは、ＫＥＤＯのアンダーソン事務局長はじめ日韓の両次長一行が突然サイトと平壌《ピョンヤン》を訪問することになったためだ。その目的は北朝鮮労働者の賃金問題を解決するためであった。私のＫＥＤＯでの最後の仕事として、サイト視察と関係者との協議を終えて『平壌へ行く同代表団に同行する任務』が与えられたのである。

ＫＥＤＯ事務局長一行の平壌《ピョンヤン》行きはサイトを出る時から波乱含みであった。当初八月三十日サイト発の予定が三十一日にずれ、かつ、ヘリコプターがサイトに飛来できなくなったため急遽車を飛ばして宣徳《ソンドク》空港まで行くことになった。

北側の車両が提供できないということで例外的にＫＥＤＯ車両（しかも乗用車）の運行が許可され、この時私も初めてサイト外の一般道路（咸興《ハムフン》市内から宣徳《ソンドク》空港まで）を運転する機会を得た。ほとんど車が通らない田舎のでこぼこ道を時速八十キロで飛ばすスリルと爽快さは一生忘れられない思い出になった。

さらに、宣徳《ソンドク》から平壌《ピョンヤン》に向かう専用ヘリコプターの中での出来事も忘れられない思い出だ。十二人乗りの小型ヘリに女性客室乗務員が二人乗ったが、私のそばに座ったのでいろいろと話しかけてみた。

たまたま、一人の乗務員が襟にかわいい（偽）真珠のブローチを着けていたので、それをほめながら冗談で私の時計と交換しないかと持ちかけてみた。すると、最初は恋人からもらったので「絶対だめだ」と言っていたが、私がしつこく食い下がったためか、そのブローチをくれるということになった。北の一般国民から物品をもらうのは初めてのことだったし、それを丁寧に私のハンカチに付属のピンで留めてくれたのには感激した。同行者もその様子を見て笑っていたが、北側の案内員（監視員）がこのようなことを制止しなかったのも不思議だ。同乗務員にはお返しとして平壌市内で金のブローチを買い求め、男性案内員を通じて渡してもらうことにした（本人に渡ったかどうかは定かでない）。

平壌《ピョンヤン》での歓待

平壌《ピョンヤン》での交渉は、KEDOからの通勤バスや宿舎等の無償提供をすることを提案し北側の譲歩を求めたが、結局合意に至らなかった。この交渉の場で初めて北側の政府高官（原子力総局長、副大臣級）に会えた。GBの局長とは比較にならないくらい偉そうだったし、物腰に余裕があるように見えた。その夜の晩餐会では、サイトから来た周玄哲《ジュヒョンチョル》副局長（国家保衛部所属）からしこたま焼酎を飲まされ前後不覚になってしまった。もうこれで彼らとはお別れだと思うとうれしくて（？）酒が進んだのだと思う。

こちらからもKEDO事務局長という「高官」が訪問したためか、北側は普段我々だけでは行けないところにも案内してくれた。

あの有名な玉流館《オンニュウグァン》で大同江《テドンガン》の流れを眺めながら本場の冷麺を食べることができた。

平壌地下鉄を見せてくれた。そこでは、プラットホームに降りるエスカレーターの横に監視人がいたのには驚いたし、若い女性駅務員が自分の仕事や駅のことにつき自慢げに説明してくれたのが印象的だった。

平壌中央歴史博物館も観覧できた。そこでは、故金日成《キムイルソン》主席が見たというだけでその特別の表示がしてあるのには（心の中で）笑ってしまった。また、新羅《シルラ》や百済《ペクチェ》の歴史に関する展示物がほとんどなく高麗《コリョ》の歴史中心の展示だった。

さらに、「主体の塔」も観覧できた。遠くからは見ていたが近くに行ったのは初めてだった。担当の女性案内員が丁寧に説明してくれたが、いずれも金日成《キムイルソン》主席礼賛一色でうんざりしてしまった。対岸の広場で北朝鮮の少年に出会ったので話しかけてみたが、先方から興味を持って見られているような気がしなかった。普通の地元のおじさんに見えたのかも。

また、サーカスにも連れていってくれた。空中ブランコは圧巻であった。入場の時に公演内容の収録されたビデオを二十ドルで購入した。

宿泊先の高麗ホテルでは、私が二年前に着任したときの韓国代表の一人にも偶然出会った。彼は、国家情報院で北との経済交流を担当しているらしい。

さようなら、北朝鮮！

そして、九月二日午前九時、私を乗せた高麗《コリョ》航空は何事もなかったように平壌《ピョンヤン》を飛び立ち北京へと向かったのである。

窓の外を眺めながらつぶやく……さようなら、琴湖《クムホ》！
……ありがとう、ＫＥＤＯ！
……そして、さようなら、北朝鮮！

（終）

あとがき

北朝鮮から去っていつの間にか二十四年が過ぎようとしています。

その後北朝鮮の核開発が発覚したため、ＫＥＤＯはその存在価値を失い、二〇〇六年五月には解散してしまいました。私も今から十年前の平成二十五年三月に三十九年間奉職した外務省を定年で退職しました。ところが、昨年（令和五年）春に長年の海外での邦人保護等に尽くした功績が認められ「瑞宝双光章」叙勲の栄に浴しましたので、残りの人生で母国のためにもう少し役に立ちたいと考え、拙著を上梓することにしました。

退職後いろいろな方とお話しする中で、「北朝鮮に住んでいたことがある」と言うとすぐに「何をしていたのですか?」「どんなところですか?」など多くの質問を浴びせかけられます。それにいちいち答えていたのでは大変だということで、常々自費出版本を作ってそれをお渡しすることを考えていました。その過程で知り合いになった幻冬舎ルネッサンス社の田中大晶課長から強いお勧めと励ましを受け、一般図書として出版し世に問うことにしました。

現下の朝鮮半島情勢を少しでも理解していただく一助になれば幸いです。

最後になりましたが、ぼんくら著者に内容全般にわたってご助言をいただいた当時のＫＥＤＯ本部次長の小野正昭氏及び編集に際し懇切丁寧なご指導をいただいた幻冬舎ルネッサンス社の関係者の皆様に感謝いたします。

令和六年五月吉日　八千代市の自宅にて　著者

〈著者紹介〉

杉山 長（すぎやま たけし）

1950年1月山口県下関市で生まれる。

1968年高卒後、日本国有鉄道職員として鉄道員として九州の駅に勤務。

その後一念発起して語学研修員試験に合格して1974年外務省に入省。

在職中（合計39年間）には韓国語専門職として16年間にわたり朝鮮半島で勤務。

その間韓国・北朝鮮の政治・経済・社会・文化に関する情報の翻訳や要人通訳を担当。

現在は定年退職して個人事業主として不動産賃貸業、同行援護従業者、通訳案内士を営む。

趣味は、マラソン（自己最高記録〈2時間55分30秒〉）、テニス、登山、ゴルフ、料理など。

また、ポポロアスレチッククラブ（2008年～）、トーストマスターズクラブ（2008年～）、千葉県国際交流センター（2012年～）、アキレスジャパン（2016年～）などのボランティア団体にも登録・活動中。

2023年春に瑞宝双光章を受勲。

ぼんくら外交官《がいこうかん》の北朝鮮日記《きたちょうせんにっき》
――2年間《ねんかん》の「楽園《らくえん》」滞在見聞録《たいざいけんぶんろく》――

2024年5月29日　第1刷発行

著　者　　杉山 長
発行人　　久保田貴幸

発行元　　株式会社 幻冬舎メディアコンサルティング
〒151-0051　東京都渋谷区千駄ヶ谷4-9-7
電話　03-5411-6440（編集）

発売元　　株式会社 幻冬舎
〒151-0051　東京都渋谷区千駄ヶ谷4-9-7
電話　03-5411-6222（営業）

印刷・製本　中央精版印刷株式会社
装　丁　　弓田和則

Printed in Japan
ISBN 978-4-344-69084-4 C0095
幻冬舎メディアコンサルティングＨＰ
https://www.gentosha-mc.com/